MORTELLE

DU MÊME AUTEUR

aux Éditions du Seuil

La Nuit américaine
prix Renaudot, 1972
et « Points Roman », n° R207

Le Rêve du singe fou
1976
et « Points roman », n° R368

Josepha
1979
et « Points roman », n° R527

Le Chevalier et la Reine
1981
et « Points roman », n° R339

L'Année des méduses
1984
et « Points roman », n° R396

Je ferai comme si je n'étais pas là
1989
et « Points roman », n° R663

Christopher Frank

MORTELLE

ROMAN

Éditions du Seuil

TEXTE INTÉGRAL

ISBN 2-02-028587-8
(ISBN 2-02-001195-6, édition brochée
ISBN 2-02-006620-3, 1re publication poche)

PRÉFACE

PAR JEAN-LOUIS CURTIS

Lorsque Voltaire veut nous révéler sous un jour nouveau les ridicules et les vices de la société française de son temps, il nous les fait découvrir à travers la fraîche vision d'un ingénu, d'un bon sauvage. Le point de vue adopté alors est celui d'un narrateur étranger au monde dont il parle, d'un témoin situé en dehors du système qu'il décrit. La saveur du récit tient à l'écart entre les étonnements de ce témoin à la fois naïf et sagace, et la familiarité, pour nous, lecteurs, des objets qui l'ébahissent : tout à coup nous nous avisons que nos mœurs pourraient paraître absurdes ou perverses à qui les verrait avec des yeux neufs. Ce procédé d'ironie et de critique est celui qu'utilisent les contes philosophiques du XVIIIe siècle et nombre de récits d'anticipation modernes (lesquels, avec d'autres variétés de la « littérature prospective », comme la science-fiction, ont pour ancêtre commun *Micromégas*).

Il existe un procédé inverse, plus complexe, qui consiste à prendre pour narrateur, non plus un témoin extérieur au Système, mais quelqu'un qui en fait partie et n'en connaît pas d'autre. Ce qui pour lui est familier, normal, naturel, devra nous frapper, nous, lecteurs, comme inhabituel, voire monstrueux. Cependant, et c'est ici que les difficultés commencent, le narrateur devra être lui-même en porte-à-faux avec le Système, car, s'il ne l'était pas, s'il l'acceptait sans discussion, il n'aurait évidemment rien à en dire. Donc, tout en le trouvant normal (puisqu'il n'a pas de points de comparaison et ne peut pas se référer à un autre Système), il n'y est pas à son aise. Le point de vue de ce narrateur n'est pas celui d'un Bon Sauvage ébahi et malicieux, mais d'un Mauvais Civilisé en proie au malaise existentiel – personnage éminemment contemporain, on le voit.

L'auteur de *Mortelle* a choisi ce second point de vue, qui est plus subtil, et beaucoup plus délicat à adopter sans errements. D'emblée, dès la première page, nous sommes placés au centre d'un décor à la fois identifiable et inquiétant :

> *Je suis né sur la Plaine et je ne connais qu'elle...*
> *Nous habitons le carré 4.333.837 Est...*
> *Nous avons une maison normale, aux murs transparents...*

Décor identifiable : ces carrés numérotés, de 10 km^2 de superficie, sont les unités d'habitation de nos Sarcelles – la Suburbia concentrationnaire qui va recouvrir peu à peu la surface habitable de la planète. Inquiétant, parce que les formes d'ennui, de désolation, et même de terreur, déjà décelables aujourd'hui au cœur de cette Suburbia, se sont soudain épanouies et ont pris leurs dimensions définitives. L'Utopie que décrivent nos romanciers d'anticipation n'est pas une Cité heureuse, mais un camp de concentration. L'avenir est toujours conçu comme un monde de tyrannie et d'effroi. Pourquoi ? Simplement parce que ce monde a déjà commencé ; nous l'habitons déjà. L'auteur de *Mortelle* a jeté un regard sur ce qu'il y a de plus menaçant dans nos sociétés actuelles, à l'Ouest comme à l'Est. Il a vu à son tour, comme d'autres avant lui, que l'Est et l'Ouest se ressemblent beaucoup, bien qu'on les croie aux antipodes idéologiques comme ils sont aux antipodes géographiques : ici et là, c'est la même éthique qui gouverne la vie des citoyens, l'éthique du sourire en permanence, de l'optimisme officiel, de l'impersonnalité rassurante :

> *Il sourit perpétuellement...*
> *Un homme sain sourit à tout le monde...*
> *Depuis la mort de Bœgner, elle sourit beaucoup, comme c'est l'usage...*

(Ce sourire de rigueur est un des leitmotive les plus terrifiants du livre.) L'Amérique de Johnson et la Chine de Mao dessinent la figure unique de notre destin. Les maisons transparentes, cela veut dire qu'il n'existe plus de secret, d'intimité, que tout doit se dérouler au vu et au su du public. Les parents que l'on tue lorsqu'ils ne peuvent plus procréer renvoient au culte vénéneux de la jeunesse qui sévit dans les nations les plus avancées, qu'elles soient socialistes ou capitalistes. (Déjà, aux USA, on ne voit plus guère de vieillards dans les rues. Qu'en fait-on ?) La camaraderie élevée à la dignité d'un dogme, c'est le *get-togetherness* qui gouverne la vie américaine... J'apprécie, dès l'abord, dans *Mortelle*, la maîtrise avec laquelle l'auteur, grâce à mille détails savamment choisis et mis en place, insinue que le cauchemar technocratique où il nous introduit est déjà le nôtre.

Pour accentuer certains aspects de ce cauchemar, il trouve des traits qui semblent empruntés à un fantastique de l'horreur dont le grand maître demeure Edgar Poe – par exemple ceci :

Une espèce de tache jaune explosa au plafond, tache palpitante pourvue de tentacules liquides qui n'en finissaient pas de se dérouler autour de moi. Un bruit de pas se fit alors entendre, ceux d'un homme s'approchant sans cesse, mais n'arrivant jamais à mon chevet.

A ces pas qui se rapprochent toujours et n'arrivent jamais, je reconnais sans peine la démarche imaginative d'un auteur qui pourrait, s'il le voulait, devenir un de nos jeunes maîtres de l'épouvante. Et je ne sais rien de plus étrange et de plus impressionnant, dans la littérature d'anticipation, que l'entrevue du héros avec le Zombie, le Lémure mi-fœtal mi-humain qui est le Chef suprême de la Cité. On peut faire confiance, pour la qualité de son œuvre future, à un romancier dont l'imagination a conçu et dont le talent sait traduire une telle vision.

Indissociable du sens de l'horreur, parce qu'il lui est apparenté par de mystérieux liens psychologiques, il y a le sens de l'humour noir. Pas de bon roman d'anticipation, ou de science-fiction, sans une touche de ce comique un peu sinistre, toujours féroce. Parmi les variétés de l'humour noir, dont nous savons, depuis le surréalisme, qu'il est multiforme, l'auteur de *Mortelle* a élu le plus classique, qui se trouve être aussi le plus efficace : celui, notamment, de Swift : feindre de présenter comme la norme ce qui est visiblement difforme, comme juste ce qui est criminel, comme rassurant ce qui est monstrueux. J'ai déjà cité :

Nous avons une maison normale, aux murs transparents

qui, dès les premières lignes, frappe la première note de cet humour. Autre exemple (c'est un citoyen modèle de la Cité qui s'adresse au narrateur, pour essayer de le ramener à la raison) :

> *Je vous aime. Je dois vous aimer, donc je vous aime. Vous êtes un homme, donc je vous aime. J'aime tous les hommes, quels qu'ils soient... Je vous aime, a-t-il répété d'un ton résigné.*

Et surtout ceci, qui me paraît très swiftien, dans le ton des derniers voyages de Gulliver :

> *En classe, dès le début, je voulais faire mieux que les autres, m'adonnais à la compétition qui est le plus grand péché du monde... Dès la seconde année, je fus puni pour avoir été premier trois fois de suite dans une matière. Je fus convoqué devant le Conseil de Camaraderie et prié d'expliquer ma conduite.*

Comme je le remarquais plus haut, il n'y a pas, du moins à ma connaissance, de récit d'anticipation dans lequel serait exalté un idéal communautaire – ce qui, si l'on y réfléchit, ne laisse pas d'être intrigant. En effet, l'équilibre et le bonheur des sociétés primitives, par exemple, est fondé sur un sentiment d'appartenance au groupe, de fusion dans la vie collective. De l'aveu des ethnologues, la plupart des troubles et des désordres dont souffrent les pays sous-développés en voie d'émancipation est lié précisément à la ruine des structures coutumières, éminemment anti-individualistes. Un villageois d'Afrique noire n'avait pas la moindre envie, autrefois, de se distinguer de ses frères. Il était malheureux si quelque incident le mettait en évidence. Arrachés à la tribu, au cadre coutumier, les Africains d'aujourd'hui deviennent aisément la proie de névroses. Liberté et autonomie individuelles sont source d'angoisse, de vertige. L'homme primitif préfère que la communauté pense et décide à sa place. En Occident, au contraire, la morale qui prévaut depuis la Renaissance est une morale prométhéenne, de l'homme particulier, seul contre le monde et contre les dieux. C'est cette morale qui imprègne, en Europe et en Amérique, la « littérature prospective », où l'homme est toujours présenté en conflit avec la loi, les traditions, le groupe, l'État omnipotent, et où l'on suggère que le salut de l'humanité dépend de la victoire ultime de l'individu.

L'auteur de *Mortelle* ne fait pas exception à cette règle. Son héros déclare, avec un sens inné du raccourci frappant, de l'image : *L'hérésie gonflait nos poitrines.* Il devine qu'il est aimé de Mortelle parce qu'elle a reconnu en lui un être distinct, différent des autres.

> *Lorsqu'elle a su que j'allais écrire (ce témoignage), elle a su en même temps pourquoi elle me voulait à elle.*

Ceci reste à l'état de pressentiment, de divination. Le narrateur s'appréhende comme un être différent des autres, mais il ne comprend pas avec précision la nature de cette différence ; il ne la nomme pas. Il ne se dit pas qu'il est un « individu ». Il se croit tour à tour un pécheur, ou un malade. Ici, l'habileté de l'auteur m'a paru très remarquable. Il ne nous présente jamais une opposition rhétorique entre la morale du grand nombre et la revendication individualiste.

La révolte du héros n'est pas vécue à travers des concepts, mais à travers des sentiments (tantôt exaltation, tantôt malaise), sur lesquels la pleine lumière n'est jamais faite. Ce qu'on nous montre, ce n'est pas un conflit d'idées, mais les variations d'une sensibilité. D'ailleurs, le héros n'a aucune théorie sur sa révolte ; il pense seulement qu'il a besoin d'être *rectifié* (c'est le terme consacré, désignant une opération complexe dont les résultats pourraient être obtenus, dans les années soixante, par l'action conjuguée de la chirurgie esthétique, d'une lobotomie et d'un lavage de cerveau). Bref, l'auteur s'arrange pour que le lecteur soit en contact avec la vie intérieure de quelqu'un qui sait à peine qu'il a une vie intérieure. C'est surtout en ceci que *Mortelle* me paraît un récit absolument moderne : l'adoption d'une forme narrative telle que le lecteur est amené à coïncider étroitement avec la subjectivité du narrateur, tout en prenant ses distances par rapport à lui. Le procédé a déjà été utilisé, bien entendu. Il l'est, dans ce récit, avec une rigueur et une subtilité tout à fait exceptionnelles.

On l'a vu plus haut, l'homme ne se connaît et ne se revendique comme individu distinct, singulier, « irremplaçable », que par la grâce de l'amour. Les deux termes (autonomie individuelle et amour) sont indissolublement liés ; et le passage de l'un à l'autre est réversible : on n'existe que dans la mesure où on aime ; on n'aime que dans la mesure où on existe. Dans l'univers concentrationnaire, le salut a le visage de l'amour ; mais c'est un visage effrayant, comme celui d'Hélène de Troie, car l'amour est le lieu de tous les périls ; il porte en germe aussi bien la mort que la vie. Le narrateur le pressent. Dès la deuxième page du livre, il dit :

J'ai peur de Mortelle et je ne sais pourquoi.

Il a raison, puisque cette jeune femme si bien nommée lui sera, en effet, mortelle ; puisque, dans le monde où l'âme individuelle est niée, l'amour électif, celui qui joint deux êtres libres et les écarte du troupeau, constitue le crime par excellence, qui doit être puni par le châtiment suprême. D'ailleurs, est-il nécessaire d'en appeler aux lois d'une société totalitaire pour rendre l'amour mortel ? Un mythe profondément ancré dans l'Histoire humaine veut qu'il le soit toujours. Au-delà d'un récit d'anticipation teinté de satire (l'Utopia hideusement changée en Suburbia), je suis sensible, dans *Mortelle*, aux charmes d'une allégorie. C'est dire que sa vertu essentielle est poétique. On aura d'ailleurs déjà deviné que le couple Amour-Liberté demande à être complété par un troisième terme, pour former la triade éternelle qu'ont chantée, entre autres, les poètes surréalistes ; et ce troisième terme, c'est justement la poésie. Une des plus belles (quoique des plus horrifiantes) inventions du roman est celle du masque appliqué de force sur le visage des *rectifiés*, c'est-à-dire des anciens rebelles que la chirurgie plastique et la psychologie appliquée ont réduits à l'obéissance et à la domestication. C'est une invention de visionnaire, de poète allégorique. Ce masque est l'un des leitmotive obsédants du récit :

> *Tonia revient un mois plus tard, portant un masque souriant. Il lui était impossible de l'enlever, car il faisait partie de son visage sur lequel il était comme soudé. Le caoutchouc devait à la longue imprégner la peau qu'il recouvrait jusqu'à ce que peau et masque ne fissent qu'un.*

Et à la dernière page, juste avant la mort des deux héros :

> *Nous avons arraché nos masques lambeau après lambeau, sans mot dire. Le sang coulait des joues et du front mis à nu. Malgré la souffrance qui nous faisait haleter et gémir, notre perpétuel sourire finit par disparaître et, au bout de plusieurs heures, notre ancien visage apparut. Alors, nos lèvres se sont rejointes.*

Autre leitmotiv insistant, dont l'auteur joue avec virtuosité : les cheveux de Mortelle, investis de la valeur érotique qui est celle de la « chevelure » dans les poèmes de Mallarmé... A mesure que je lisais *Mortelle*, aussi attentif à la conduite du récit qu'à son contenu, j'éprouvais un véritable plaisir *artisanal* à constater la sûre mise en place du détail significatif, le contrepoint exactement calculé des motifs et des thèmes – enfin une science infaillible (et devenue si rare, de nos jours, chez les jeunes auteurs) de la composition. Comme c'est bien, un livre intelligent qui est aussi un livre bien fait ! Je suis heureux de préfacer le premier roman de (appelons-le enfin par son nom, cet écrivain qui, dès son coup d'essai, existe déjà si fort qu'on ne peut plus le confondre avec aucun autre) Christopher Frank.

Né en 1942 en Angleterre. Études secondaires en France. Assiste Roger Blin dans la mise en scène des Nègres *de Genet au Royal Court Theater de Londres. Dramaturge, plusieurs de ses pièces ont été jouées à Paris.*

Romancier, il obtient le prix Renaudot 1972 pour La Nuit américaine, *adapté au cinéma par Andrzej Zulawski sous le titre* L'important c'est d'aimer.

Scénariste-dialoguiste en 1982, il devient cinéaste, tout en poursuivant son activité d'écrivain.

Christopher Frank est décédé en novembre 1993.

Quelle est ma joie, si toutes les mains, même les impures, peuvent y tremper ?

AYN RAND.

pour Yvette Ducroux

1

Je suis né sur *la Plaine*, et je ne connais qu'elle. Vers l'âge de deux ans, m'a-t-on raconté, je me suis traîné jusqu'à la vitre pour regarder. Cette étendue de béton noir, recouverte d'une épaisse couche de goudron, dut me faire de l'effet, avec ces lueurs rouges sur les murs. L'on dit pourtant que je la regardai sans expression et quittai la fenêtre comme un somnambule : les yeux fermés.

Nous habitons le *Carré 4.333.837 Est*. Les carrés, délimités par des raies jaunes qui tranchent sur le sol noir, ont une superficie de 10 km^2. Nous avons donc de quoi faire des promenades sous les lampadaires placés tous les cinq mètres, dont les rayonnements se chevauchent afin que ne demeure, sur tout le Carré 4.333.837 Est, le moindre recoin d'ombre où, comme chacun sait, sommeille le mal.

Nous avons une maison normale, aux murs transparents, pour qu'il nous soit impossible, l'habitant à quatre, de ne pas être constamment en vue de quelqu'un. Ainsi se trouve vaincue la solitude où, comme chacun sait, sommeille le mal.

Il y a Boegner, de vingt ans mon aîné, un homme

fort et intelligent qui est accouplé avec Déirdre, dont je suis issu. Déirdre aussi est âgée. Elle porte dans les yeux l'éclat d'un malheur dont elle aurait oublié le détail mais gardé le fardeau. La quatrième est Mortelle, elle aussi issue de Déirdre. Si je devais parler de mon passé, et je le ferai certainement, quoique cela nous soit déconseillé, je ne pourrais sans doute m'empêcher de parler d'elle dans chacune de mes phrases. Issus de la même femme, nous ne nous ressemblons pourtant que de loin. J'ai peur de Mortelle et je ne sais pourquoi.

Assez pour aujourd'hui.

Pour me procurer du papier, je me suis rendu au ministère de la Propagande. Ils sont les seuls à en avoir. C'est un grand bâtiment où l'on travaille beaucoup. Au guichet, un huissier m'a demandé la raison de ma visite. J'ai dit que je voulais du papier et un crayon, ou bien un stylo. Il a inscrit ma réponse sur un formulaire intitulé : *Motif de la visite.* Puis il m'a indiqué la porte de l'ascenseur et m'a dit de monter jusqu'au troisième étage.

Les parois de l'ascenseur n'étaient pas transparentes. L'effet fut tel que la sueur ruissela sur mes tempes.

Un employé m'a reçu. Un homme affable et souriant qui m'a fait asseoir en face de lui. Il m'a demandé pourquoi je voulais du papier et un crayon.

J'ai dit que je voulais écrire de la propagande. Il a paru intéressé.

— Quelle sorte de propagande ?

— Je voudrais parler des dangers de la solitude.

— Savez-vous ce que c'est, la solitude ?

— Je crois le savoir.

— L'avez-vous éprouvée ?

— Non.

— Le sujet vous intéresse ?

— Non.

— Bien.

Il m'a donné dix feuilles.

Pour rentrer, je n'ai voulu ni les plier, ni les rouler. Je les ai tenues à plat sur mes deux mains et j'ai marché vite, malgré le goudron qui adhère aux pieds et empêche de se presser.

Ils m'attendaient en bas, dans la grande pièce. Je les avais déjà remarqués de loin à travers les murs. C'est Mortelle qui, la première, m'aperçut.

Je posai les feuilles sur la table et tous les contemplèrent en silence. Boegner se retourna le premier et quitta la pièce. Déirdre me regarda dans les yeux ; elle avait peur. Puis elle aussi quitta la pièce. Mortelle, derrière moi, regardait les feuilles par-dessus mon épaule. Je ne voyais pas son visage, mais je percevais son souffle. Elle s'avança finalement et sa main, comme par accident, se posa sur la mienne.

— Tu vas les salir ? demanda-t-elle.

— Oui.

Elle se pencha et posa ses lèvres sur la feuille. Ses cheveux sombres parurent très noirs sur le blanc du papier. Elle se releva, ses yeux proches des miens. Je sentis l'odeur de ses cheveux. Puis elle se retourna et alla vers la cuisine, me laissant seul avec les feuilles blanches. En redressant la tête, je vis qu'elle m'observait de loin à travers les murs.

Maintenant, il ne me reste que sept feuilles. Je travaille la nuit, lorsqu'ils dorment et ne peuvent me surveiller. Je crois pourtant que Mortelle ne dort pas. Je la vois, couchée sur le côté, tournée vers moi. Peut-être a-t-elle les yeux ouverts.

Ce soir, je l'ai regardée se déshabiller. Je voulais voir ses seins. Elle m'a regardé en même temps, sachant que je l'observais et malgré le danger, car d'autres maisons on pouvait nous épier à travers les murs. Elle est très blanche. Ses yeux sont verts et ses cheveux sont noirs.

J'ai cru entendre quelqu'un bouger et me suis allongé. A travers le plafond, le ciel est apparu. Il n'est pas transparent.

A présent, ils dorment. Je suis seul malgré les yeux de Mortelle qui sont peut-être ouverts, mais qui ne comptent pas. Je peux raconter ce que j'ai vu.

Dans une maison non loin d'ici habite un homme qui a creusé un trou dans son plancher. Il s'y étend la nuit et personne ne le voit. Il creuse avec ses doigts et, chaque jour, approfondit le trou. Il habite avec une femme, mais elle ignore tout de cette histoire. Lorsqu'il me parle de l'obscurité dans laquelle il se couche, la nuit, ses yeux brillent et des filets de sueur coulent sur son front.

J'ai vu Boegner poser sa main sur celle de Déirdre qui a souri avec une sorte de tristesse. Il ne la touche jamais d'habitude, parce qu'elle est vieille.

J'ai vu un petit garçon courir dans une maison. Il était nu et un docteur le poursuivait. L'enfant avait peur, il se cognait dans les meubles et les renversait sur son passage. Finalement, il se précipita contre le mur de verre et passa au travers. Il est parti en courant sur la Plaine noire, mais son corps était rouge et il boitait.

J'ai vu une femme faire l'amour toute seule dans une chambre blanche.

Toutes ces choses et beaucoup d'autres, je les ai vues parce que je regarde autour de moi. C'est le premier péché de solitude.

Je n'ai pas d'amis. Ma Carte d'Amis est vierge. Nous sommes pourtant tenus d'y inscrire les noms de douze amis. C'est la loi.

Je marche seul sur la Plaine. En principe, il faut toujours être accompagné de plusieurs amis, car c'est contraire à la loi d'être seul quand on peut être plusieurs.

Mais tout ceci n'est rien en comparaison de ce que je commets en ce moment. J'écris, et j'écris pour moi.

Pourtant, je n'ai pas vraiment peur. Je ne connais qu'une peur, celle que je ressens en présence de Mortelle.

Il fait jour, je dois arrêter.

Il me vient parfois l'idée de quitter la maison, de partir. Si Mortelle partait, j'en ferais autant. Pourtant, une chose serait à craindre : qu'au bord de la Plaine, je ne sois plus capable d'avancer ni de reculer, à cause du goudron qui adhère aux pieds. Je resterais alors sur place comme un épouvantail, et les jours et les nuits se succéderaient sans que je fasse un seul pas dans un sens ou dans l'autre.

Donc, je reste.

Ou plutôt, j'attends. J'attends d'en savoir plus, d'en écrire plus. De toute façon, j'attends Mortelle.

Elle ne dort pas en ce moment. Elle est assise sur son lit et regarde droit devant elle. Je vois sa silhouette. Sa respiration creuse son ventre. Elle ne sait pas que je la regarde.

Elle n'a pas beaucoup d'amis non plus. Mais elle

en a, parce qu'elle est belle. Elle connaît un garçon qui a construit une machine. Un jour, elle m'a emmené chez lui. C'est une belle machine chromée, couverte de lampes qui s'allument et s'éteignent continuellement. Il y a aussi des boutons et des cadrans. Il a mis trois ans pour la construire. C'est un très grand péché, car la machine ne sert à rien. Elle s'allume, s'éteint, tourne sur elle-même à l'intérieur, et c'est tout. Non seulement elle ne lui sert pas, mais de plus elle ne sert pas la communauté. On ne peut strictement rien en faire. Je n'ai jamais vu une chose aussi belle. Le constructeur a été envoyé en Maison de Rectification il y a deux semaines.

J'ai vu des soldats courir sur la Plaine. Ils portent des blouses blanches et des bottes en caoutchouc. Ils ne font aucun bruit. Ils courent en rangs serrés sous les lampadaires et cherchent des gens. Il y a beaucoup de soldats dans notre carré, mais on ne s'en rend vraiment compte qu'à la nuit.

On m'a parlé de miradors articulés, dont la plateforme mobile descend du ciel. Il paraît que le mitrailleur tire sur ceux qui fuient, il paraît qu'on ne peut leur échapper. Il est possible que cette histoire soit sans fondement.

Les lampadaires ne s'éteignent jamais. Parfois, j'ai envie de sortir la nuit et de courir comme les soldats le long des raies jaunes.

J'ai vu une femme nue embrasser la poitrine d'un homme en pleurant. Il était mort dans la nuit, à côté d'elle, pendant qu'elle dormait.

Un homme m'a arrêté, aujourd'hui, sur la Plaine. Il a demandé qui j'étais, où j'habitais. Il voulait savoir pourquoi je marchais seul. J'ai répondu que je me rendais chez un ami pour lui raconter une histoire drôle. Il parut satisfait et me laissa partir.

Mortelle m'a regardé souvent, ce soir, au cours du dîner. Elle n'a presque rien mangé. Peut-être veut-elle me dire quelque chose. Je ne sais pas. Boegner semble ne plus en avoir pour longtemps. Deux hommes sont venus le voir aujourd'hui et lui ont demandé son carnet d'âge. Ils lui ont reproché d'y avoir apposé une photo vieille de plusieurs années. Ils ont dit qu'il était vieux maintenant et que bientôt il ne servirait plus. Boegner a dit qu'il pouvait encore travailler, mais ils ont dit qu'il se faisait vraiment trop vieux. Déirdre est malheureuse, car la même chose va lui arriver, elle est presque aussi vieille que lui. Ils ne dorment pas cette nuit, je les entends murmurer dans leur lit. N'ayant plus d'avenir, ils se parlent de leur passé. Quand on a beaucoup couru, à perdre haleine, on se retourne pour mesurer le chemin parcouru.

Mortelle ne dort pas non plus. Je la vois tourner la tête comme si elle disait non à quelqu'un. Elle est assise maintenant et me regarde. Elle me fait signe de la rejoindre dans sa chambre.

J'y suis allé. Elle était nue dans son lit. Il y avait peu de lumière, mais j'ai vu qu'elle était nue. On s'est regardés en silence pendant un certain temps et puis elle m'a parlé.

— Tu écris ?

— Oui.

Elle a tendu sa main vers moi dans le noir. Je l'ai prise et l'ai trouvée brûlante. Elle m'a dit :

— Fais attention.

Je n'ai pas répondu. Je me suis penché et j'ai posé ma bouche sur le bout de son sein. Je me suis relevé, on s'est encore regardés, puis je suis parti.

De ma chambre je la vois, et je crois qu'elle dort. Quelque chose a changé : je n'ai plus peur d'elle.

Je n'entends plus les murmures de Boegner et de Déirdre, peut-être se sont-ils endormis, ou restent-ils simplement silencieux, fatigués de se consoler mutuellement.

J'en suis à ma neuvième feuille, et pourtant je suis encore loin d'avoir terminé. Demain, je retournerai au ministère de la Propagande chercher du papier. Il ne va pas tarder à faire jour et Mortelle se réveillera.

Cette dixième feuille m'inquiète. Et si c'était la dernière ? Je n'ai pu aller au ministère aujourd'hui, comme je le voulais. J'irai demain. Et s'ils refusent de m'en redonner ? Il faudrait alors tout dire sur cette unique page, d'un coup.

C'est d'autant plus impossible que ce n'est pas le passé que je veux raconter, mais le présent. C'est-à-dire Mortelle.

Il a fait chaud sur la Plaine aujourd'hui. Du goudron s'élevaient des nuages noirs qui flottaient jusqu'à hauteur du genou. J'ai pensé qu'en rampant on se rendrait tout à fait invisible. Deux heures plus tard, j'ai vu une femme s'allonger et disparaître. Ils l'ont emmenée dans l'ambulance.

On parle d'une nouvelle loi obligeant les gens à garder la lumière allumée chez eux pendant la nuit.

Boegner est resté au lit aujourd'hui, il faiblit. Déirdre est allée lui parler souvent, mais il a peu répondu. Je n'ai aucune pitié pour lui, parce que je ne le méprise pas.

Brusquement, sans trop savoir pourquoi, j'ai dissimulé ma feuille et me suis étendu. J'ai fermé les yeux et fait semblant de dormir. Puis j'ai regardé à travers mes cils. Un soldat m'observait de l'autre côté du mur. Ses yeux ne me quittaient pas et sa respiration creusait son masque de chirurgien. Il m'a surveillé pendant plus d'une minute avant de repartir en courant.

La dixième feuille est remplie. Demain, j'irai au ministère.

Je ne suis revenu du ministère qu'aujourd'hui. Ils m'ont gardé trois jours.

Je suis monté à l'étage comme la première fois, mais ce n'était pas le même employé. Celui-là était plus jeune et portait des lunettes d'écaille. J'ai expliqué que je venais redemander du papier pour écrire de la propagande. Il n'a rien dit tout d'abord, il s'est contenté de me fixer à travers ses lunettes. Puis il m'a demandé mon nom, mon adresse, mon âge, et ma carte d'amis. Je lui ai dit que j'avais oublié ma carte d'amis à la maison. Il a hoché la tête plusieurs fois de suite. J'ai dit que j'étais désolé, que je lui porterais la carte le lendemain même, qu'il pouvait y compter. Il hocha la tête de nouveau. Puis il tendit la main et me demanda les feuilles que j'avais déjà remplies. J'ai répondu que je n'avais encore rien fait de valable et que j'avais préféré les jeter. Il baissa la tête et resta silencieux un long moment, perdu, semblait-il, dans ses pensées. Mais la porte s'ouvrit soudain et un homme se glissa dans la pièce. Je compris que l'employé avait dû l'appeler en appuyant sur un bouton, sans doute avec le pied.

L'employé expliqua à l'autre homme, qui portait une blouse blanche, que j'avais oublié ma carte d'amis et que j'avais jeté le papier qu'on m'avait fourni la première fois. L'autre hocha la tête exactement comme le premier, mais sans me regarder. Il me fit signe de le suivre. Avant de sortir, je me tournai vers l'employé, mais il observait par la fenêtre deux enfants qui couraient sur la Plaine. A cause des nuages noirs au ras du sol, on ne voyait émerger que leurs têtes.

J'ai suivi le soldat le long d'un étroit couloir et nous avons pris l'ascenseur jusqu'au vingtième étage. Là, nous sommes entrés dans une pièce spacieuse où une vieille femme attendait.

Elle a fait partir le soldat d'un geste de la main et attendu que la porte soit fermée pour m'inviter à m'asseoir, d'une voix presque éteinte et pourtant gutturale. Je me suis assis. Elle était debout devant moi et me fixait de ses yeux bleus. Son visage était rond et joufflu, mais la peau était striée d'innombrables rides aussi fines que des cheveux. On la devinait chauve sous sa perruque d'un rouge flamboyant. J'ai regardé autour de moi et me suis soudain aperçu que j'étais assis sur une chaise de dentiste. A côté de moi, une eau mauve tournoyait dans un petit lavabo d'émail avec un léger sifflement.

La vieille posa sa main sur mon genou et me questionna :

— Qu'as-tu fait avec les feuilles de papier ?

— Je les ai jetées.

Elle secoua la tête avec un petit sourire et me pressa le genou.

— Tu les as cachées ?

— Non.

— Tu veux avoir des ennuis ?

— Non.

— Alors, dis-moi où tu les as mises.

— Je les ai jetées.

— Bon.

Elle prit un verre posé sur un plateau d'émail blanc et me le tendit. J'hésitai, puis avalai d'un trait le liquide incolore. Ça n'avait aucun goût. Elle me regardait avec une certaine tendresse. Elle prit le verre et le reposa sur le plateau. Puis elle enleva sa blouse. Elle ne portait rien d'autre. Sa peau était jaune, son sexe blanc et comme enfariné. Elle s'assit sur mes genoux et m'embrassa. J'eus soudain très mal à la tête. Sa langue m'étouffait. J'avais dû absorber une drogue quelconque, car je perdis connaissance.

Je me réveillai seul, toujours assis sur la chaise de dentiste. Mais j'étais nu à présent. Je compris que je n'avais pas vraiment perdu connaissance, que j'avais continué à agir et à parler sans m'en rendre compte. Il faisait nuit. Sur la Plaine, des soldats marchaient. J'avais mal à une dent. Les portes semblaient hermétiquement fermées. Elles étaient en verre, mais ce n'étaient pas de simples vitres. C'étaient des miroirs, et je savais que de l'autre côté on pouvait tout aussi bien me voir. Mes vêtements ne se trouvaient pas dans la pièce.

La femme revint au matin avec deux feuilles de papier et un crayon. Elle me les donna et me somma d'écrire. Je lui fis comprendre que ce n'était pas possible. Elle reprit les feuilles en souriant et me tendit à nouveau un verre. Avant de perdre connaissance, je la vis se dévêtir et s'étendre sur un canapé de cuir blanc placé contre le mur.

Je me réveillai en elle, sur elle, son sein dans ma bouche et ma bouche saignante, car on m'avait arraché une dent. J'avais mal. Elle ne dormait pas. Elle me fit boire aussitôt.

Cette fois je me réveillai habillé, dans une autre pièce, en plein jour. Un soldat était assis devant moi. Il me fit signe de le suivre. J'obtempérai avec peine, car je souffrais toujours de la tête et des dents. Ma vue était brouillée et il m'était difficile de distinguer avec netteté où j'allais. L'homme aux lunettes d'écaille me reçut. Il me donna ma carte d'amis et une importante liasse de feuilles de papier. Il souriait. Je pris la carte et constatai que douze noms y avaient été inscrits. Je reconnus l'écriture de Mortelle. Il me rappela qu'il fallait toujours avoir la carte sur soi et me pria de ramener les feuilles une fois remplies. Puis il me serra la main et me raccompagna jusqu'à la porte du bureau.

Je revins lentement, pataugeant dans les nuages noirs, tenant mes feuilles à bout de bras. Le sang coulait toujours de ma bouche et s'infiltrait jusque dans le col de ma chemise. Il faisait très chaud. A mi-chemin, je croisai une femme. Elle avait des cheveux blancs et pourtant paraissait jeune. Ses yeux, comme ses lèvres, étaient maquillés en bleu. Elle portait une robe rouge qui moulait fortement son ventre. Je remarquai plusieurs soldats qui la suivaient de loin et l'idée me vint que c'était une malade. Elle s'arrêta pour me demander :

— Tu viens de là-bas ?

— Oui.

Elle s'approcha encore et lécha le sang sur mon visage. Puis elle se mit à courir à petites enjambées, car sa robe était très serrée. Les soldats coururent aussi, sans bruit, avec leurs bottes en caoutchouc. Je me retournai pour voir partir au loin la robe rouge au milieu des blouses blanches. Ma bouche avait cessé de saigner.

Déirdre m'attendait. Je la vis de loin, appuyée contre le mur, scrutant la Plaine. Quand elle remarqua la liasse de papier dans mes mains, son sourire s'estompa. Je posai les feuilles sans parler. Elle voulait me dire quelque chose, mais elle se tut. Je cherchai Mortelle des yeux. Elle n'était pas là. Il faisait très chaud dans la maison.

J'allai dans la salle de bains pour me laver. Je me déshabillai lentement pendant que l'eau froide remplissait la baignoire. Mon corps portait plusieurs blessures minuscules. L'eau froide les réveilla et de petits nuages rouges se mirent à flotter entre deux eaux. Je fermai les yeux. De ces trois jours d'absence il ne me restait déjà que peu de choses, comme s'il se fût agi d'un rêve dont le souvenir s'estompe dès le réveil. J'ouvris les yeux. Mortelle me regardait avec sérieux, les yeux sombres. Une mèche noire lui barrait le front.

Les vitres de la salle de bains sont opaques, c'est toléré par l'Etat.

Mortelle se déshabilla. Elle enleva sa robe, sa culotte et ses bas. On l'avait fouettée, son corps en portait les marques. J'allais en parler, mais je la vis sourire, et je sus qu'il n'y avait rien à dire, que tout allait bien. Je souris aussi et elle vit qu'il me manquait une dent.

Alors, elle enjamba la baignoire et se coucha contre moi. Elle était lourde, mouillée. Elle me tint la tête sous l'eau et m'embrassa. L'eau remplissait nos deux bouches. Ses cheveux noirs flottaient autour de nous. Ma gencive avait encore saignée et l'eau rougie ruisselait sur son corps, sur ses flancs, ses seins, son ventre blanc. Elle se souleva encore et se coula doucement sur moi, puis ne bougea plus. Lentement, elle a promené ses seins lourds sur mon visage, puis, avec rage, elle s'est glissée sous moi. Seuls ses cheveux apparaissaient à la surface, ainsi que ses cuisses, ruisselantes, et la bouche noire, entrouverte.

Maintenant, tandis que j'écris, Mortelle repose à côté de moi. Dans le noir, son corps brille doucement, elle a l'air de dormir mais je n'en crois rien. C'est Mortelle qu'ils ont fouettée, c'est Mortelle qui a rempli ma carte d'amis.

J'ai compté les feuilles, il y en a cinquante. Si j'en utilise dix pour la propagande, il m'en restera quarante. Ce sera peut-être suffisant. De toute manière, j'écrirai jusqu'à ma mort, mais il m'est évidemment impossible de prévoir précisément quand et comment elle viendra.

Une chose seulement ne sera jamais mentionnée ici : l'endroit où je cache mes feuilles. Et cela pour des raisons de sécurité évidentes. Pour ces mêmes raisons, je ne peux révéler ici quel système j'emploierai pour m'empêcher, sous quelque pression, de dévoiler ma cachette. Ce sont des choses qu'on ne peut écrire.

Cet après-midi, je suis allé avec Mortelle chez son ami, celui qui a fabriqué la machine inutile. Il est sorti de Maison de Rectification il y a trois jours. Il n'a pas voulu nous recevoir. Il portait un masque et se tenait tout en haut de sa maison, les yeux levés vers le ciel. Nous l'avons appelé, il nous a entendus et il a baissé la tête. Son masque était souriant, mais son corps paraissait cassé. Il secoua la tête et regarda ailleurs. Nous n'avons pas insisté.

Maintenant, nous marchons tous deux sur la Plaine. C'est encore ce qu'il y a de plus dangereux, car c'est chez le couple, davantage que chez le solitaire, comme chacun sait, que sommeille le mal.

Ainsi rencontre-t-on souvent sur la Plaine des groupes bruyants, riant et gesticulant, où l'on se lance une balle, se tape sur l'épaule, etc. Si l'on y regarde à deux fois, on aperçoit au sein du groupe, protégé par un bouclier de camaraderie ostensible, un couple silencieux qui se tient par la main.

Ils sont revenus voir Boegner aujourd'hui. Ils se sont assis de chaque côté de son lit. Longtemps ils se sont contentés de l'observer, et lui, fatigué par leurs regards, finit par fermer les yeux. Ils portaient des blouses blanches et des masques de chirurgiens. Ils avaient des gants de caoutchouc rouge. Chacun dans une chambre différente, nous surveillions la scène de loin à travers les murs. Boegner a parlé plusieurs fois, mais ils n'ont pas répondu. A la fin, ils sont partis sans avoir ouvert la bouche.

Je suis allé voir Boegner, après. Il va très mal. En une semaine, il a beaucoup vieilli. Sa peau s'est ridée et il a perdu plusieurs dents en une nuit. Ses cheveux sont blancs. Il se sait presque fini. Quand il m'a vu, il n'a pu sourire. Nous nous sommes regardés et j'ai lu une soudaine fureur dans ses yeux.

— Tu n'as pas le droit de me mépriser.

Je suis parti sans répondre.

Maintenant, tandis que j'écris, je l'entends parler avec Déirdre. Sa voix sourde traverse les murs, mais je ne distingue pas ce qu'il dit. Sans doute lui parle-t-il de leur première rencontre, ou de leur première nuit, sûrement d'un premier événement, puisqu'il approche du dernier.

J'avais eu l'intention de parler de mon passé, mais maintenant j'hésite. Je n'aurai certainement pas le temps de raconter comment la vérité m'est apparue, je ne pourrais donc que lui donner la forme d'une évidence et ne l'évoquer qu'à demi-mot. D'ailleurs, il m'est difficile de préciser quand et comment tout a commencé.

En classe, dès le début, je voulais faire mieux que les autres, m'adonnais à la compétition qui est le plus grand péché du monde. Inconsciemment, je me laissais déjà aller à certaine discrimination, prodiguant de l'admiration à certains, n'éprouvant pour d'autres que du dédain. Dès la seconde année, je fus puni pour avoir été premier trois fois de suite dans une matière. Je fus convoqué devant le Conseil de Camaraderie et prié d'expliquer ma conduite. Ils firent valoir que j'aurais mieux fait de me tenir tranquille, car ma taille prêtait déjà à confusion. De fait, j'étais plus grand que la moyenne. On me demanda si je me croyais plus fort que les autres élèves et je répondis que je n'en croyais rien, mais que la chose paraissait évidente puisque mes notes étaient supérieures aux leurs. Ma réponse fut extrêmement mal accueillie. On m'expliqua une fois de plus les RÈGLES DU CITOYEN (l'homme au service de l'homme ; un bien indivisible est un bien mal acquis ; moins on est, moins on rit ; le besoin de l'un est le devoir de l'autre ; une joie non partagée est une tristesse maquillée, etc.) et on me priva de classes pendant un an, avec obligation de pratiquer quotidiennement les sports et tous les jeux de société.

La même année furent interdits les sports solitaires pouvant inciter à la compétition, tels que la nage, la course à pied, le lancement du poids, le saut en hauteur, le saut en longueur, le ski, etc. On remania aussi le règlement des jeux d'équipe (football, basket, etc.) : devenait obligatoire l'octroi d'un but à toute équipe ayant subi un but du camp adverse. Ainsi, tous les matches se terminèrent dorénavant par des matches nuls.

C'est à cette même époque que Toya fut envoyée en Maison de Rectification. Elle était petite, blonde et hautaine. Elle ne parlait à personne, sauf à moi. Elle m'avait choisi, j'avais fait de même. Coupant les ponts avec le reste du monde, je l'avais rejointe dans le péché de solitude à deux. Assis côte à côte en classe, nous nous regardions souvent, ne fût-ce que pour nous assurer que l'un et l'autre existions vraiment.

Le matin, nous courions ensemble le long des raies jaunes. J'avais treize ans et elle douze. Nous étions trop ignorants pour remarquer la haine qui s'accumulait autour de nous et comprendre que les dénonciations (« Acte sublime de l'homme collectif »,

Ch. III des RÈGLES DU CITOYEN) pleuvaient sur notre compte. Les autorités n'agirent pas tout de suite. A l'époque, le gouvernement était en remaniement et la discipline s'en ressentait.

Toya osa m'écrire :

« Toi, seulement toi, à côté de moi, partout et toujours, dans moi, après, au fond, juste toi, personne d'autre. »

Deux jours plus tard, nous fîmes l'amour pour la première fois, dans les toilettes du quatrième étage du collège. C'était l'unique repaire aux murs opaques. Nous fîmes l'amour debout, elle arc-boutée contre la porte, ses cheveux jaunes ruisselant sur ses épaules, les jambes ouvertes. Tandis que je la pénétrais, elle me demanda de lui parler sans arrêt.

— Pour que je sache bien que c'est toi et personne d'autre.

Quelqu'un nous avait vus, on nous dénonça. Mais il ne se passa toujours rien. Quand je m'aperçus qu'on m'avait volé la lettre de Toya, je sus que c'était terminé. Elle ne voulut pas le croire, ou plutôt l'accepter. Elle se contenta de murmurer :

— Tu me retrouveras, n'est-ce pas ? Quoi qu'il arrive, tu me retrouveras ?

Je promis de la retrouver, mais j'ignorais de quoi elle parlait. Je ne devais l'apprendre que nombre d'années plus tard.

Le trimestre suivant, commencèrent les cours de reproduction et de conduite reproductive. On nous enseigna les règles de base : « Se refuser à l'un, c'est faire du tort à tous », « Se donner sans plaisir, c'est se donner vraiment », etc. Pour expliquer le fonctionnement des organes reproducteurs, ils obligèrent Toya à se déshabiller et à s'asseoir sur la selle gynécologique, face à la classe. Les élèves souriaient et ne se privaient pas d'échanger des commentaires.

Je tremblais, j'avais mal de la voir ainsi offerte pendant que le professeur faisait sa démonstration, désignant les divers organes avec une règle. Puis il fit monter un garçon sur l'estrade. Il ne laissa pas descendre Toya. Elle me regardait et je la regardais et nous nous disions que rien ne pourrait jamais nous atteindre. Mais le professeur voulut accoupler l'élève avec Toya. Elle ne dit rien, mais, au dernier moment, lui cracha au visage.

Elle partit le jour même en Maison de Rectification.

Le professeur expliqua qu'elle était malade. A l'époque, j'ignorais en quoi consistait la rectification. Je le sais à présent. C'est une opération destinée à brouiller le cerveau, à le discipliner. Elle se pratique avec un autre patient. Ils mélangent les cellules, intervertissent les sens, remanient les instincts et tronquent la pensée. Pour ce faire, l'utilisation d'un cerveau normal est indispensable pour conditionner l'autre pendant l'opération et tempérer la vacuité qui s'y crée. Il est possible que ces détails ne soient pas rigoureusement authentiques, ou trop simplifiés ; je les tiens d'un homme recherché par l'Etat qui se cachait non loin d'ici. Je le vis deux nuits de suite et il me parla souvent de ce qui l'attendait.

Toya revint un mois plus tard, portant un masque souriant. Il lui était impossible de l'enlever, car il faisait partie de son visage, sur lequel il était comme soudé. Le caoutchouc devait à la longue imprégner la peau qu'il recouvrait jusqu'à ce que peau et masque ne fissent plus qu'un. La mutation ne réussit que partiellement et il est assez facile de repérer ceux qui l'ont subie au sourire figé qu'ils arborent continuellement.

Son corps n'avait pas changé. Je la regardai marcher, s'asseoir, croiser les jambes, embrasser les garçons à tour de rôle, rire avec eux, jouer avec eux, et je vis l'idée que j'avais gardée de son corps rejoindre insensiblement le personnage masqué qui évoluait devant moi, jusqu'à disparition totale de la Toya que j'avais connue. Je décidai de jouer le jeu. J'allai de bouche en bouche et de sexe en sexe comme les autres et fis de mon mieux pour ignorer la satisfaction que ma conduite suscitait dans le collège.

Les années suivantes passèrent ainsi, et j'en arrivai à me croire guéri, à m'imaginer que j'étais devenu normal. Je serrais la main des élèves en arrivant le matin, je leur racontais dans les moindres détails mes expériences sexuelles de la nuit, et eux en échange me confiaient les leurs. Les professeurs commencèrent à m'estimer. Je devins gardien de but de l'équipe de football. En classe, je me forçais à paraître ignorant, bâclant mes devoirs et aidant les autres à réussir les leurs. J'arrivai ainsi à n'être que quinzième de ma division, ce qui me valut un point d'honneur du Conseil de Camaraderie. Et lorsqu'au cours d'un repas quelque élève me renversa sur la tête un plat de nourriture, je fus capable d'un sourire et nul ne devina la colère sourde qui me faisait trembler et me mettait en sueur. J'étais un parmi tous, un rouage dans la machine, un camarade, un figurant. Je nageais dans l'eau tiède de l'amitié générale avec une aisance dont j'étais le premier surpris.

Je poussai la chose jusqu'à coucher avec Toya, qui s'offrit, comme à tout le monde, un soir d'hiver. Mais après, quand elle se fut endormie, je contemplai son corps inerte et me mis à pleurer. Je sus, alors, que je ne serais jamais guéri.

Bien sûr, je ne suis pas le seul dans mon cas. Nous sommes nombreux à être atteints. Il paraît qu'avec les années et les rectifications, on arrivera à nous éliminer totalement.

Je quittai le collège avant-dernier de ma classe, nanti d'un brevet d'honneur du Comité Inter-Elèves et d'un diplôme de sociabilité avec Mention B. J'avais envisagé de travailler, mais à la même époque le syndicat du chômage s'éleva contre l'injustice dont était victime ses adhérents — ils ne gagnaient que 75 % du salaire normal — et réussit à leur faire octroyer les 100 %. D'autre part, on venait de niveler les salaires à l'intérieur des entreprises, et tout le monde, quel que fût son emploi, put se prévaloir de gagner autant que son voisin. On pouvait, toutefois, bénéficier d'une augmentation, à condition d'avoir plus de trois enfants à charge ou en faisant valoir une maladie nécessitant des soins médicaux coûteux et fréquents. N'ayant plus aucune raison de travailler, je m'en abstins.

Pendant ma scolarité, j'eus peu de rapports avec Mortelle, petite fille peureuse, portée à pleurer et à bouder. Elle ne m'aimait guère et nous nous évitions. Mais un jour, elle fut envoyée en Maison de Rectification sans motif apparent. La chose était fréquente. Déirdre, pourtant, en fut très affectée, et Boegner eut du mal à la consoler.

Quand elle en revint, ce n'était plus la même Mortelle. Elle marchait, parlait et se tenait différemment. Ses yeux verts étaient des gouffres, ses seins avaient gonflé d'un coup, sa bouche était devenue orgueilleuse. Elle nous fit peur à tous, et à moi plus qu'à tout autre. J'avais l'impression qu'un événement capital avait eu lieu, mais j'aurais été bien incapable de dire lequel. Ce quelque chose, je l'ai appris ce soir, en embrassant la gorge dure et sombre de Mortelle.

Je lui ai demandé si on l'avait opérée, et elle m'a répondu que oui. C'est de Mortelle qu'ils se sont servis pour effectuer la rectification de Toya. Je sais maintenant pourquoi Toya m'avait supplié de la retrouver, je sais aussi que c'est chose faite.

Par la vitre, je vois courir les soldats ; leurs blouses blanches ont de pâles reflets dans la nuit.

Il y a du vent ce soir. Toya est retrouvée. C'est en la perdant que j'avais cru guérir, c'est en la retrouvant que je vais maintenant aller aux extrêmes limites de ma maladie.

Mortelle me regarde écrire et s'impatiente. J'ai beaucoup travaillé cette nuit et il nous restera peu de temps pour l'amour.

Je viens de réveiller Mortelle pour qu'elle retourne dans sa chambre avant le lever du jour. Elle est partie lentement, à reculons, les yeux embourbés de sommeil, tenant son sein dans une main, son sexe de l'autre. Peut-être souriait-elle, je n'en suis pas certain. Ses cheveux noirs inondaient ses épaules, ses cuisses réfléchissaient déjà le petit matin. Je l'ai vue se recoucher, calmement, sans me quitter des yeux, puis elle a posé sa tête sur l'oreiller et s'est assoupie. Je n'ai pas envie de dormir.

Les péchés s'additionnent et ne se comptent plus. J'ai l'impression d'aller les yeux fermés vers un ravin : je sais que je vais tomber, mais rien ne me retient.

Sur la Plaine, des gens marchent et se croisent en souriant. Ce sont tous des rectifiés, ils se promènent en groupe, se tenant par le bras. Un rectifié est incapable de marcher seul ; sans compagne, il prend peur et perd l'équilibre. On en voit de temps en temps, couchés sur le goudron, immobiles, leurs têtes souriantes tournées vers le ciel, tremblants de peur. Ils attendent qu'on les relève et les raccompagne chez eux. Si quelqu'un le fait, ils s'agrippent à lui et ne font que balbutier en chemin comme des enfants.

La maladie fait des ravages en moi et décuple mes forces. J'ai envie de courir seul sur la Plaine pendant des heures.

Il fait jour, il faut que je cache mon papier.

J'ai couru très loin sur la Plaine ce matin, jusqu'au Carré 4.333.822 Est qui est encore en construction. Un nuage noir pesait sur les chantiers où les ouvriers déversaient le goudron. Je les ai regardés longtemps et j'ai envié leur concentration. A l'heure du déjeuner, ils ont posé leurs outils et mangé leurs sandwiches. J'ai remarqué alors un homme qui n'avait pas entendu le signal, ou qui avait choisi de l'ignorer. Il était occupé à niveler un rectangle de goudron, agenouillé sur la pâte chaude dans un petit nuage noir. C'était un homme trapu, le visage fermé, tout à ce qu'il faisait. Ses collègues le regardaient, échangeaient des remarques, mais aucun ne le prévint.

De loin, je vis arriver le contremaître et je fis un pas en direction de l'ouvrier. Mais les autres se levèrent, m'empêchant d'approcher. L'ouvrier travaillait toujours, agenouillé dans la poussière noire. Ce n'est que lorsque le contremaître eut posé son pied au milieu de la flaque de goudron, y imprimant la marque de sa chaussure, que l'ouvrier redressa la tête. Le contremaître nota son nom et son matricule et partit sans rien ajouter. Les autres mangeaient tranquillement, les yeux ailleurs. L'ouvrier se leva avec peine, le regard trouble, et prit un sandwich dans son sac de toile. Ses mains tremblaient.

J'allai vers lui et lui touchai l'épaule.

— Vous venez ?

Il ne comprit pas tout de suite, mais il me suivit et nous nous mîmes à marcher, lui mangeant son sandwich, moi les mains dans les poches. Les autres nous regardèrent partir, les yeux méfiants.

Nous marchâmes tout droit, silencieusement, lentement. La peur et l'incompréhension se lisaient sur son visage, mais il y avait aussi de l'étonnement, la conviction réprimée, mais profonde, de n'avoir rien fait de répréhensible. Lui aussi était malade.

L'ambulance nous rattrapa peu de temps après et deux soldats firent monter l'ouvrier. Il se retourna une dernière fois et ébaucha un geste, comme pour me tendre la main. Mais on le poussa à l'intérieur du véhicule qui démarra rapidement, me laissant seul et immobile dans un nuage noir.

Boegner va de plus en plus mal. Ils sont venus relever sa fiche de santé aujourd'hui et il avait oublié d'y inscrire sa température et sa tension, alors que c'est obligatoire. Ils n'ont rien dit, mais leur regard, au-dessus de leur masque de chirurgien, était glacé. Ils lui ont laissé une boîte de pilules à prendre toutes les heures. Ils veulent en finir au plus vite.

J'ai conseillé à Déirdre de ne pas lui donner les pilules, mais elle a fait semblant de ne pas comprendre. Ou peut-être n'a-t-elle réellement pas compris, je ne sais. De toute manière, elle les lui donne, comme prescrit. La nuit, lorsqu'elle le réveille pour qu'il les prenne, ils parlent un peu, sourdement, dans le noir, comme deux aveugles qui se tiennent par la main.

Il est mort ce matin. J'étais là. Il y avait aussi deux soldats qui lui ont fait une piqûre. C'est la piqûre qui l'a achevé, il ne pouvait plus lutter. Dix minutes auparavant, il avait dit :

— La solitude est un péché, et pourtant je meurs seul.

Les deux hommes avaient baissé les yeux avec un profond dégoût. J'ai pris sa main et j'ai dit :

— Je sais.

On s'est regardés et il a dit :

— Ne me plains pas.

Il a retiré sa main et rejeté la tête en arrière avec une étrange fierté. Il a dévisagé les soldats froidement et il a dit :

— J'avais encore des choses à faire.

Et il ajouta :

— Des choses personnelles.

Le blasphème se répercuta dans le silence. Il a vu les larmes couler sur les joues de Déirdre et il a dit :

— Ne pleure pas, la pitié est une saloperie.

Elle l'a regardé, surprise, et il a dit :

— Embrasse-moi.

Il est mort peu après. Les soldats l'ont porté dans l'ambulance et ont fait signer des papiers à Déirdre. En partant, un soldat s'est arrêté devant Mortelle, plongeant ses yeux froids dans les siens. Elle lui rendit un regard paisible et plein de dédain. L'homme était immobile, attentif. Mortelle, finalement, s'écarta et monta dans sa chambre, suivie sur tout le parcours, à travers les murs, par les yeux du soldat.

J'attendis la nuit avec impatience, j'avais sans cesse le visage de Boegner devant moi, son visage fermé, ses prunelles voilées. A la tombée de la nuit, j'appelai Mortelle dans ma chambre et la déshabillai. Je pressai mon visage contre son ventre, ses cuisses, sa toison chaude. Elle ne bougea pas, restait sans comprendre encore. J'écartai ses jambes pour boire, me saouler, me perdre. Alors, elle saisit mes cheveux et écarta ma tête en murmurant :

— Tu es un lâche...

Il est vrai que l'on peut confondre le corps que l'on aime et celui qui nous a fait. Elle me regardait avec insistance, silencieuse et calme, souriant légèrement.

— Je ne suis pas Déirdre, dit-elle enfin.

Elle s'agenouilla fièrement au-dessus de moi et s'écarta devant mes yeux.

— Je suis Mortelle.

Maintenant, il faut parler de Mortelle, avant qu'il ne soit trop tard.

Elle monte les escaliers sans utiliser la rampe, avec lenteur. Ses genoux paraissent à chaque pas.

Elle mange sans couteau.

Ses mains sont pâles, les paumes carrées, mais

les doigts effilés. Les ongles assez longs qu'elle peint en bleu.

Elle lit ce que j'écris, le visage grave.

Quand elle penche la tête, une mèche tombe sur son front. Elle la rejette d'un geste rapide.

Ses yeux ne sont pas vert brun comme on voit souvent, mais vert clair, et les pupilles très noires, presque ovales.

Ses lèvres sont pâles, la supérieure est mince, l'inférieure plus épaisse, gonflée.

Ses joues sont creuses, la pommette haute.

Ses seins sont lourds mais hauts, elle ne porte rien sous sa blouse où les pointes sombres se dessinent quand elle respire.

Elle n'est jamais triste et elle n'est jamais gaie. Elle sourit peu, mais elle rit parfois. Sa voix est grave, mais lisse. Elle parle peu et rapidement.

Quand la nuit est très noire et qu'on ne peut nous voir, elle s'appuie au mur comme Toya faisait. Je prends ses hanches dans mes mains et elle se courbe tant qu'elle peut.

Lorsqu'elle boit, elle tient sa tasse ou son verre à deux mains.

Les marques du fouet sur son dos clair ne sont pas encore estompées.

MORTELLE

Mortelle me parle parfois, la nuit, de sa voix basse et rapide. Elle s'étend sur moi, s'appuie sur ses coudes et recule la tête juste assez pour que ses cheveux viennent me frôler.

— Tu ne leur échapperas pas, tu le sais ?

— Oui.

Un silence, elle penche la tête de côté.

— Ils te mettront le masque, tu seras rectifié.

Elle rit, puis continue :

— Ils t'apprendront à hurler de peur chaque fois que tu seras seul, à te coller au mur comme un malheureux, à te traîner aux pieds de tes *camarades* pour mendier un peu de *chaleur humaine*. Ils t'apprendront à vouloir qu'on t'aime, qu'on t'accepte, qu'on partage avec toi. Ils te feront coucher avec des filles, des grosses, des maigres, des jeunes, des vieilles. Ils brouilleront tout dans ta tête, pour que tu te dégoûtes, surtout pour que tu te dégoûtes. Pour que tes propres désirs te fassent horreur, pour que ton intérêt te fasse vomir. Et après tu iras avec des femmes laides et tu jouiras dans la charité, dans *leur* plaisir. Tu travailleras pour eux, et tu te sentiras fort parmi eux, et tu courras en troupeau sur la Plaine, avec tes amis, tes innombrables amis, et lorsque vous verrez un homme marchant seul, une grande boule de haine se nouera dans votre ventre collectif et vous frapperez de votre pied collectif le visage de l'homme jusqu'à ce qu'il n'en ait plus et que vous ne voyiez plus son rire, car il riait. Tu le sais, tout ça ?

— Je le sais.

Quelqu'un rôde autour de la maison, la nuit. Nous l'avons vu plusieurs fois. C'est une femme, une rectifiée. Elle sourit sous les lampadaires où elle passe en courant, et souvent regarde dans notre direction. Son sourire brille dans l'éclairage jaune. Elle s'est avancée jusqu'au mur la nuit dernière, mais elle s'est enfuie dès que nous nous sommes approchés. Ce soir, nous l'attendons. Elle est blonde, petite, elle court en se faufilant derrière les maisons pour éviter les rondes de soldats. Elle s'habille de sombre pour être moins remarquée, mais son sourire se voit de très loin. Normalement, un rectifié est tout à fait incapable de sortir la nuit, même en groupe ; que celle-ci le fasse, en solitaire, paraît extraordinaire. Mortelle me dit qu'elle vient.

Elle est venue. Elle s'est avancée jusqu'à la vitre où elle a appuyé ses mains, et elle nous a regardés.

Nous lui avons fait signe, mais elle n'a pas répondu. Puis nous avons vu deux soldats s'approcher et nous lui avons fait signe de nouveau, pour la prévenir. Elle n'a pas bougé. Alors, nous avons vu son sourire se fendre comme du carton, ses joues se creuser, ses yeux s'enfoncer. Le masque partait en lambeaux qu'elle arrachait un à un, enlevant la peau en même temps. Couverte de sang, elle nous a regardés une dernière fois, et soudain je l'ai reconnue. Toya appuya son visage rouge et luisant contre la vitre et m'adressa quelque parole que je ne pus comprendre. Les soldats la prirent chacun par un bras et l'emmenèrent.

Il est évident que Toya a fait l'objet d'une opération défectueuse, qu'un germe de sa maladie est resté dans son cerveau et que ce germe a lentement mûri derrière le masque, pour finalement le faire éclater. J'avais déjà entendu parler de ces opérations manquées, mais je n'avais jamais eu l'occasion d'en voir le résultat. Ce qui me frappe dans cette histoire et dans bien d'autres que j'ai entendu raconter, c'est le nombre de malades et la virulence de la maladie. Je crois que la population est encore loin d'atteindre cette perfection à laquelle l'Etat aspire. Je suis naturellement incapable de juger de ce problème objectivement, étant moi-même très atteint. Mais il me sera à jamais impossible d'oublier la figure ensanglantée de Toya, derrière la vitre.

Mortelle a été très affectée par cette apparition, elle m'a posé de nombreuses questions au sujet de Toya, questions étranges d'ailleurs, car j'avais l'impression qu'elle posait des questions sur elle-même.

Les jours et les pages s'usent vite. Alors que d'autres enregistrent le passage du temps à chaque nouvelle année, je suis obligé de compter les jours. Je sais que je n'irai pas loin, que ma maladie ne tardera pas à être découverte. Je ne crains pourtant ni la mort, ni la rectification. Je me contente d'évaluer avec une certaine tristesse l'étendue de tout ce qui aurait été possible et ne le sera pas. A chaque couloir, à chaque tournant de mon aberration, je découvre d'autres couloirs, d'autres tournants, que je n'aurai jamais le temps d'explorer.

Mortelle continue à me préparer à la mort, et j'ai confiance en elle.

Elle me parle aussi de ma trahison, du jour où je la trahirai, elle. Elle me supplie d'abord de ne pas résister, et une heure plus tard elle pleure et me demande si je la trahirai. Ce n'est pas une question à laquelle je puisse répondre, car je ne le sais pas, je ne peux le savoir. Alors, elle me prend le visage à deux mains et nous nous regardons longtemps en silence, imprimant dans notre mémoire chaque détail du visage de l'autre, avec l'espoir futile qu'il pourra peut-être survivre à l'opération.

Aujourd'hui, j'ai rendu visite à l'homme qui creuse un trou dans sa maison. Il a énormément progressé et s'est aménagé à présent une véritable crypte souterraine. Ce soir, il compte y descendre pour la dernière fois, et n'en plus sortir. Il va vivre une semaine de solitude dans le noir complet. Il a accumulé un peu de nourriture et de quoi boire, il prépare son crime depuis longtemps. Ce soir, sa femme l'attendra en vain et le cherchera sans succès. Il ne remontera plus, il restera seul dans son trou, invisible pour la première et dernière fois de sa vie.

Tandis que j'écris, je l'imagine, assis silencieusement sur la terre humide. Peut-être mange-t-il un gâteau sec. Peut-être est-il étendu sur le dos, les yeux ouverts dans l'obscurité. Peut-être dort-il, la tête sur son avant-bras replié.

Mortelle s'est assoupie. Elle attendait que j'eusse fini d'écrire, assise sur mon lit, un drap jeté sur les épaules. Sa tête s'est affaissée, et maintenant elle dort. Ses seins se gonflent à chaque inspiration, sa main droite est restée crispée sur ma jambe. Au loin, je vois courir les soldats sous les lampadaires. Le visage de Mortelle est dans l'ombre de ses cheveux qui coulent sur le drap comme de l'encre.

Déirdre vient de m'apprendre que Boegner sera bientôt remplacé. Elle ne m'a pas parlé de son remplaçant. Elle ne m'a pas regardé en me parlant. Depuis la mort de Boegner, elle sourit beaucoup, comme c'est l'usage, mais ses yeux ne sourient pas. Mortelle m'a dit qu'elle s'est rendue au Ministère des Relations demander qu'on ne remplace pas Boegner, et que sa requête a été rejetée. C'est une mauvaise nouvelle, car elle a dû attirer l'attention des autorités sur cette maison. Mortelle dit que je devrais prendre une fille, mais je ne veux pas. Je ne veux pas non plus qu'elle prenne un homme. De toute manière, il reste si peu de temps.

Cette nuit, il y a beaucoup de soldats sur la Plaine. Ils cherchent celui qui s'est enfermé sous terre. Sa femme a avisé de sa disparition le Ministère de la Discipline. Ils ne le trouveront pas à temps.

Il est question que Mort

J'ai arrêté d'écrire, car j'ai entendu un cri sur la Plaine. Nous avons vu un homme courir entre les maisons, c'était l'homme qui s'était enterré, les soldats avaient trouvé sa cachette. Il courait vite, le corps nu, sa peau blafarde sous les lampadaires. Il y avait une espèce de joie dans ses mouvements. Parfois, il sautait haut en courant, avec une exubérance désespérée. Une voix métallique donnait des ordres, que les soldats exécutaient comme une sorte de ballet. Il y avait des blouses blanches partout. L'homme fut vite cerné. Il se tenait au milieu d'un cercle de soldats et les regardait en haletant, la bouche ouverte.

Il se tenait très droit, fièrement, la tête rejetée en arrière. Un soldat se détacha pour avancer vers lui. Les autres ne bougeaient pas. L'homme précipita le soldat à terre et lui enfonça les pouces dans la carotide, de toutes ses forces. Le soldat, après quelques soubresauts, s'immobilisa. L'homme se releva et cria quelque chose. Puis il souleva le corps, le tint à bout de bras et le lança en direction de la troupe. Un coup de feu retentit et le visage de l'homme devint rouge sombre. Il resta debout quelques secondes, chancelant. Les soldats attendaient. L'homme virevolta, se courba, se redressa une dernière fois avant de se laisser glisser à terre avec douceur.

Les soldats le prirent et l'emmenèrent en bon ordre. Maintenant, la Plaine est à nouveau déserte.

Nous l'avons vu et je l'écris comme je l'ai vu.

Il m'est difficile de parler de ma maladie. Elle ne se manifeste qu'indirectement, sans crises ni symptômes bien définis. Je la sens en moi, ancrée très profondément. Par exemple, j'utilise très souvent la première personne du singulier quand je parle. Je commence mes phrases par : « Je trouve que... » ou « Je pense... ». Un homme sain dirait : « On trouve que... », ou bien : « Il est généralement admis que... »

D'autre part, je n'aime pas que l'on me touche. C'est un symptôme très grave. Les autres se prennent par le bras, se serrent la main, marchent épaule contre épaule, même et surtout lorsqu'ils viennent juste de se rencontrer. Moi, je ne peux pas. A ce sujet, je suis victime d'impressions aberrantes qui traduisent bien ma maladie. Il m'est arrivé de penser qu'en souriant à quelqu'un je le choisissais, le sélectionnais, lui témoignais de l'estime à lui en particulier. Un homme sain sourit à tout le monde. Sur la Plaine, je choisis souvent les chemins les moins fréquentés, les plus calmes. Un homme sain recherche le bruit et l'animation. Lorsque plusieurs personnes se battent contre une seule sur la Plaine, mon instinct me porte immédiatement à secourir celui qui se trouve en état d'infériorité. Un homme sain se joint toujours au plus grand nombre. Pour que j'aide quelqu'un, il ne suffit pas qu'il ait besoin d'aide, il faut aussi que je *veuille bien* lui venir en aide.

Lorsque le représentant du Comité de Charité vient à la maison prendre l'argent que nous devons mettre quotidiennement dans la Boîte à Charité près de la porte, je dois détourner les yeux pour ne pas vomir.

Parfois, je me suis trouvé devant une usine au moment de la sortie. J'ai vu le personnel sortir en groupe, comme une larve chaude et mouvante. Les directeurs et les savants sortent avec les ouvriers comme la loi l'exige, ils portent les uniformes qu'impose le règlement, et pourtant on les distingue des autres. Ils ont beau baisser la tête et se coiffer en arrière avec de la brillantine, on les reconnaît d'emblée. Ils le savent et ils en ont honte. Ils essaient de plaisanter avec les ouvriers, ils boivent du vin avec eux, mais leurs plaisanteries ne font rire que leurs semblables et ils n'aiment pas le vin populaire. Quand je les vois, je ressens à la fois une grande tristesse et une grande joie.

Ce sont là les symptômes de ma maladie. Quant aux causes, elles remontent, paraît-il, à des temps anciens et ne sauraient être expliquées par des historiens. Les historiens ont tous été rectifiés, ils ne se souviennent de rien.

Le remplaçant de Boegner est arrivé. C'est un rectifié. L'opération a certainement eu lieu il y a longtemps, car on ne voit plus trace du masque. Pourtant, il sourit perpétuellement, et cela ne laisse aucun doute sur sa condition. C'est un homme chétif aux gestes lents. Il a reçu l'ordre de faire un enfant à Déirdre. Les autorités médicales l'ont soumise à un examen et ont estimé qu'elle n'était pas trop vieille. Elle est fatiguée, ça ne lui sera pas agréable. Les autorités n'ignorent pas qu'elle a peu de chances de survivre à l'accouchement.

Il s'appelle Rodec et travaille dans un ministère, nous ne savons pas lequel. Cette nuit, Mortelle ne viendra pas me rejoindre. J'écris couché sur le côté et je dois lever la tête à tous moments pour vérifier que Rodec ne m'espionne pas.

Pendant le dîner, il a beaucoup parlé. Il a raconté des histoires drôles et il a ri énormément. Son rire est bref et haut perché, comme un cri. Parfois, il posait sa main sur celle de Déirdre qui se forçait à rire très fort, mais chaque fois la retirait. A la fin du repas, nous avons entendu des coups de feu sur la Plaine. Rodec a sursauté, il a posé son verre lentement et serré les poings jusqu'à ce que les jointures soient blanches. D'une voix terne, il a dit que les soldats devaient être en train d'éliminer un homme. J'ai vu une lueur dans les yeux de Mortelle et j'ai éclaté de rire. Déirdre et Mortelle m'ont tout de suite imité et nous nous sommes esclaffés en chœur, tandis que la face souriante de Rodec nous inspectait à tour de rôle. Certainement, il a voulu nous éprouver, mais je demeure surpris de la grossièreté de sa méthode.

J'ai dit à Mortelle que je la rejoindrais plus tard, lorsqu'il serait endormi.

Il dort. Je suis allé jusqu'à leur chambre et j'ai regardé à travers le mur. Il dormait sur le dos, la tête posée sur l'épaule de Déirdre, les mains croisées, son visage souriant éclairé de côté par un lampadaire de la Plaine. Déirdre restait éveillée. Nous nous sommes regardés. Son corps avait une étrange rigidité sous le drap, comme si le contact de Rodec lui interdisait tout relâchement. Au bout d'un moment, elle m'a fait signe de partir. J'ai obéi.

Mortelle était couchée en travers de son lit. Ses cheveux noirs ruisselaient sur le plancher, son corps blanc brillait doucement dans la pénombre. Elle n'a pas bougé, mais sa voix m'a accueilli dès mon entrée. C'était une question à laquelle je m'attendais depuis longtemps, que je n'aurais jamais voulu entendre poser :

— Tu me retrouveras plus tard, n'est-ce pas ? Tu me retrouveras ?

Nous nous sommes longuement promenés aujourd'hui.

Mortelle voulait voir une fille qu'elle a connue il y a plusieurs années et qui habite le Carré 4.033.958 Est. C'est un Carré ancien qui ne tardera pas à être démoli. Le goudron s'y affaisse, les maisons sont opaques à cause de la saleté. La population est presque entièrement rectifiée et les ambulances circulent jour et nuit. Après de longues recherches, nous avons trouvé l'amie de Mortelle. Elle a été rectifiée et elle ne l'a pas reconnue. Elle était enceinte, le ventre ballonné, les cheveux ternes. Assise devant sa maison, qu'elle partage avec deux vieux rectifiés, elle nous raconta des histoires drôles, mais elle en oubliait les dénouements ou s'arrêtait au milieu pour en reprendre une autre dans un long balbutiement. Quand nous essayâmes de la questionner, elle eut un hoquet, s'arrêta net, tourna sa face plastifiée vers le ciel et, d'une voix roucoulante, se mit à réciter les RÈGLES DU CITOYEN en caressant son ventre bombé d'une main grisâtre.

Nous l'avons quittée assez vite et nous avons marché ensemble, enlacés. Les passants nous regardaient de travers. On ne voit jamais de couples marcher seuls sur la Plaine. Parfois, des groupes de rectifiés, craignant que nous ne fussions perdus ou en mal de solitude, se joignirent à nous et voulurent nous faire chanter avec eux.

Le remplaçant de Boegner nous attendait à la maison. De loin, nous l'avons vu sourire derrière le mur. Il nous a demandé où nous étions. C'est Mortelle qui a répondu. Il ne nous regardait pas, on aurait dit que son sourire s'adressait à tous les groupes qui déambulaient sur la Plaine.

— Une vieille amie ?

— Plus maintenant, elle a été rectifiée.

Alors, il nous a tourné le dos complètement. C'est ainsi que les rectifiés montrent qu'ils ne sourient pas.

J'ai parlé avec Mortelle toute la nuit. Nous ne voulons plus dormir, gâcher le peu de temps qu'il nous reste.

Mortelle a changé. Elle ne me tient plus de la même façon. Ses mains s'ouvrent et se pressent contre mon dos, comme pour me protéger. Elle entoure ma tête de ses bras et me serre contre son ventre. Dans le noir, j'imagine une hache levée au-dessus de nous, prête à fendre ses bras et ma tête d'un seul coup.

Dans la journée, elle est toute différente. Elle ne

s'habille plus, sa nudité est triste. Elle s'appuie aux murs, frissonnant contre les parois, et plonge son regard vert dans les yeux des passants. Déirdre, qui ne nous parle plus, l'évite. Mais Mortelle ne s'occupe de personne. A table, quand elle se penche pour prendre des plats, ses seins frôlent la table et ma main qui y est posée.

Elle ne rit plus aux histoires drôles de Rodec, elle se tient immobile devant lui, les yeux durs, les bras repliés contre sa poitrine, comme si elle avait froid. Mais la nuit elle me serre contre elle sans rien dire et s'ouvre doucement à moi. Il n'y en a plus pour longtemps.

Avec le peu de papier qui me reste, je voudrais parler des regrets, de ce qui a été impossible, de ce qui aurait pu se réaliser mais a échoué, de ce que je n'ai pas entrepris faute de temps.

Il m'est évidemment difficile de parler de l'impossible, cette barrière floue que je porte en moi et contre laquelle je m'acharne quelquefois en vain. C'est comme un mur dont je ne puis qu'entrevoir ce qu'il y a de l'autre côté. Ce mur, ce sont aussi les lampadaires de la Plaine, les parois transparentes, le ventre de Mortelle. Je mourrai au pied de ce mur-là.

Je couve aussi en moi une ambition. Je la connais mal, j'évite d'y penser. Parfois, j'ai crû pouvoir la faire avorter, mais elle ne me quitte pas. Il m'a toujours semblé que j'étais capable de faire quelque chose, et je n'ai jamais rien fait. Je marche parfois sur le goudron avec force et rapidité, et pourtant je ne vais nulle part. Je sais pourtant qu'en d'autres circonstances, ou dans un autre monde, j'aurais su où aller et m'y serais rendu de ce même pas rapide et décidé.

Une seule chose me sauve : ce témoignage. C'est mon plus grand péché, la preuve irréfutable de ma maladie, ma plus grande fierté aussi. C'est à cause de lui, et de lui seul, que je possède Mortelle et qu'elle me possède. Lorsqu'elle a su que j'allais l'écrire, elle a su en même temps pourquoi elle me voulait à elle. Quand j'ai vu qu'elle savait qui j'étais, j'ai su pourquoi je la voulais à moi, tant il est vrai que nous sommes ce que nous faisons. Ce que je viens de dire est sans doute la plus grande faute que j'aie jamais commise.

J'ai conscience, en écrivant ainsi, de laisser libre cours à ma maladie. Je le sais et n'en souffre plus. C'est comme une main tendue par quelqu'un qui n'a pas *besoin* de moi. Je ne peux lui résister.

Déirdre est enceinte. Elle nous l'a appris ce soir, les yeux baissés. Nous n'avons rien répondu. Rodec souriait comme à l'accoutumée.

Nous sommes couchés sur mon lit. Mortelle me regarde écrire. Elle ne m'a jamais paru si belle, et pourtant elle a maigri. Son visage s'est creusé, ses yeux se sont encore assombris. Elle tient ma main gauche prisonnière entre ses cuisses.

Sur la Plaine, un groupe de rectifiés rentrent chez eux. Ils ont dû se perdre en se promenant, et maintenant la nuit leur fait peur. Ils se serrent les uns contre les autres et chantent un chant de solidarité. Un soldat les suit à distance.

Chaque fois que je lève les yeux, je rencontre ceux de Mortelle. Cette nuit paraît différente, je ne sais pourquoi.

Les rectifiés sont partis, la Plaine est vide. Le vent soulève la poussière noire et la promène dans l'air. Ces nuages sombres ont tout l'air de silhouettes se glissant de l'ombre à la lumière. Dans le clair-obscur de la Plaine, on voit scintiller les lumières des maisons de rectifiés. N'aimant pas la nuit, c'est ainsi qu'ils signalent leur présence. Ce n'est pas tant *ne pas voir* qui les dérange, c'est ne *pas être vu* qui leur est insupportable. Parfois, des couples rectifiés passent une nuit entière face à face, chacun rassurant l'autre du regard.

Mortelle veut me parler. Je le sens, mais je continue à écrire sans détourner la tête. Elle m'a pris la main, elle y plante ses ongles. J'entends un bruit de

Rodec est entré et se tient au milieu de la chambre. Il nous regarde à présent, il me regarde écrire. Son sourire brille près de la porte, je le vois du coin de l'œil. Mortelle est tendue, mais elle ne bouge pas. La tête rejetée en arrière, les lèvres entrouvertes et luisantes, ses yeux ne quittent pas mon crayon. Les pointes de sa gorge sont pourpres et ramassées comme des blessures.

C'est fini. J'écris à présent les derniers mots, mais ils n'ont aucune valeur. Je les écris pour Rodec, pour bien lui montrer qu'il ne s'est pas trompé, j'écris n'importe quoi. Une fièvre étrange me fait trembler. Si ce n'était impossible, je dirais que c'est de bonheur. Mortelle me regarde écrire et ses yeux brillent. Le silence pèse dans la chambre où l'unique mouvement est celui de mon crayon ; mouvement insignifiant qui nous donne l'air de trois géants penchés sur un insecte. J'écris ce qui me passe par la tête. Seul m'importe de continuer, d'en finir au beau milieu de cette folie dont j'ai l'inexplicable audace de demeurer fier.

Rodec est parti. Mortelle s'est couchée sur moi. Il fait lourd, un vent chaud souffle autour de la maison. Des nuages noirs qui surplombent le goudron, des soldats émergent ; leurs blouses blanches font taches dans la nuit. Rodec est de retour, il a repris sa position, penché sur ces mots qui s'alignent sur la feuille. Mortelle halète doucement, ses bras noués autour de moi. Les soldats se pressent autour de la maison. Mortelle sursaute, ferme les yeux, sa tête tombe. Sa chaleur se répand sur ma jambe. Les soldats entrent, mais je continue d'écrire. Ils s'arrêtent une seconde, puis ils prennent Mortelle par les bras et la font se lever. Elle se tient droite parmi eux, les lèvres tremblantes. Un soldat pose sa main sur elle, elle lui crache au visage. Il fait un pas en arrière et lui enfonce le pied dans le ventre. Elle se courbe, glisse et tombe. Il lui assène un deuxième coup. Elle se replie comme un reptile, avec un cri de gorge, et vomit sur le plancher. Puis les soldats

II

Parfois, lorsque j'embrassais Mortelle, elle baissait les yeux et son visage se fermait pour devenir un masque fragile, sous lequel se déroulaient des pensées que je ne pouvais deviner. Alors, je la regardais et attendais patiemment qu'elle me revînt.

Ils m'ont donné du papier. Ils semblent souhaiter que je continue à écrire. Je ne sais pourquoi. Ils disent qu'ils veulent constituer un dossier. D'abord, je n'ai pas su commencer. Les feuilles avaient l'air d'avoir été déjà remplies et gommées, je ne voyais pas l'utilité d'y inscrire quoi que ce fût. C'est un souvenir de Mortelle, ou plutôt l'envie d'écrire son nom, qui me fit commencer.

Depuis des jours, peut-être des semaines, je suis dans cette pièce blanche et opaque, constamment éclairée, avec une paroi vitrée où les docteurs viennent de temps en temps me regarder. J'ai un lit et une chaise. Je me trouve en Maison de Rectification, mais il me semble qu'ils ne vont pas m'opérer tout de suite. Jusqu'ici, je n'ai parlé qu'à une infirmière qui me sert à manger et m'a demandé si je désirais du papier et un crayon. Je n'ai rien répondu. Il y a quelques minutes, on me les a apportés.

Sans doute attendent-ils quelque chose de moi, mais j'ignore quoi. J'ai l'impression qu'ils m'attendent, moi.

Un docteur vient de se coller à la vitre. Il me regarde écrire. C'est un homme large de visage, au front dégarni, qui porte des lunettes jaunes. Ses yeux sont inexpressifs. Quand je relève la tête, il me sourit. Un profond silence règne ici autour de moi, j'entends ma respiration et parfois mon cœur. Je ne me sens pas plus emprisonné que je ne pouvais l'être sur la Plaine. Et puis, j'aime les murs opaques.

J'éprouve depuis peu une grande curiosité qui m'ouvre les yeux et me donne envie de parler tout haut. Je m'en abstiens à cause des microphones.

Je ne porte aucun vêtement, mais je n'en souffre guère. Ils peuvent me regarder.

Aujourd'hui, l'infirmière m'a parlé. Elle m'a confié que cela faisait un mois que j'étais ici. Je n'ai rien répondu. Elle pensait que je voulais savoir depuis combien de temps j'étais interné. J'ai dit que ça m'était égal, que ça n'avait aucune importance pour moi. Elle n'a rien ajouté.

Elle est blonde, de petite taille, avec des yeux noirs, des lèvres pâles, une blouse blanche serrée à la taille. Elle tient le plateau de nourriture que je ne lui ai pas encore pris des mains. Elle attend que j'aie fini d'écrire.

Elle s'est assise à même le plancher et, sans bouger, m'a regardé manger. Maintenant que je me suis remis à écrire, elle s'est levée et va, je pense, partir. Mais elle ne part pas. Elle attend près de la porte, une main posée sur la poignée, la tête légèrement tournée dans ma direction. Je ne sais ce qu'elle me veut. Derrière la vitre, le docteur aux lunettes jaunes nous observe à tour de rôle.

Elle est partie. Le docteur est toujours collé à la vitre. Il faut croire que ma maladie est très compliquée pour requérir pareille surveillance, avant l'opération. Le docteur vient d'ouvrir et fait son entrée.

J'ai posé mon crayon, mais je n'ai pas levé la tête. Le docteur s'est assis sur le lit et m'a contemplé en silence. Il a attendu que je reprenne mon crayon pour parler.

— Vous n'avez pas essayé de retenir l'infirmière ?

— Non.

— Elle avait pourtant reçu l'ordre de rester avec vous si vous le demandiez.

Je n'ai rien dit. Il s'est levé, s'est dirigé vers la paroi, puis s'est retourné en se frottant légèrement les paumes l'une contre l'autre.

— Vous n'aimez pas parler ?

— Tout dépend avec qui.

L'hérésie l'a fait frémir et il a baissé la tête. Quand il l'a relevée à nouveau, son visage paraissait plus sévère.

— Si je comprends bien, selon vous, l'intérêt d'une conversation dépend de la personne avec laquelle on parle ?

— Oui.

Il a réfléchi un instant.

— Vous aimiez parler avec Mortelle ?

— Oui.

— La différence n'est pas grande. L'une est brune, l'autre est...

— Différente.

Il porta sa main à sa bouche et suça une jointure, comme s'il s'était piqué.

— Nous étudions le problème, murmura-t-il. C'est une question de pigmentation.

Il est allé se rasseoir sur le lit, le front plissé, l'air perplexe.

— On ne peut s'empêcher de ressentir un certain dégoût lorsqu'on doit traiter un malade aussi *différent* que vous.

Il m'observait attentivement et fit une pause avant de poursuivre :

— Je n'ai jamais traité un malade comme vous,

vous êtes *unique* dans votre cas. Cela ne vous dérange pas ?

— Non.

Une fois de plus, il se suça un doigt, et je remarquai que ses ongles étaient peints (en jaune).

— Vous ne me croyez pas, vous pensez que Mortelle est comme vous.

Il m'a regardé droit dans les yeux.

— Mortelle sera bientôt guérie.

Je me suis forcé à le fixer et il n'a pas été dupe de ce que je ressentais.

— Vous ne pouvez pas, a-t-il dit subitement en faisant un pas en arrière.

— Quoi ?

— Vous ne pouvez pas.

Il m'a tourné le dos et s'est parlé à lui-même pendant plusieurs minutes :

— Je vous aime. Je dois vous aimer, donc je vous aime. Vous êtes un homme, donc je vous aime. J'aime tous les hommes, quels qu'ils soient. Je ne choisis jamais, il n'y a pas de différence pour moi entre un savant et un éboueur. Ils se valent parce qu'ils respirent. C'est en respirant que les hommes se ressemblent, et c'est parce qu'ils se ressemblent qu'ils ont de la valeur. Un homme ne vaut que par son amour pour les autres, sans amour il est perdu. Je dois vous aider, donc je veux vous aider. Je suis issu d'une vieille femme, j'étais son dernier enfant. Un jour, il m'a fallu choisir : sauver cette vieille femme ou sauver un homme que je ne connaissais pas. J'ai sauvé l'homme, sans hésiter, parce que je ne le connaissais pas. Lorsque vous avez choisi Mortelle, vous avez fait du tort à toutes les autres femmes, vous les avez insultées, et en privant les autres hommes de Mortelle, vous avez fait du tort à tous vos semblables. Le comprenez-vous ?

— Non.

Il s'est retourné et j'ai pu lire une sorte d'exultation dans ses yeux.

— Ne vous inquiétez pas, bientôt vous ne souffrirez plus. Vous serez comme nous tous, un parmi mille, pourvu de la force de mille et de l'amour de mille. Vous aurez le masque de l'homme parmi les hommes.

Il est allé vers la porte et s'est retourné une dernière fois avant de sortir en claquant des talons.

— Je vous aime, a-t-il répété d'un ton résigné.

Hier soir, ils ont drogué ma nourriture. Je me suis soudain réveillé pour trouver la chambre, d'ordinaire toujours éclairée, plongée dans l'obscurité. J'ai voulu me lever, mais j'en étais incapable. Mes membres ne m'obéissaient plus, je ne pouvais remuer que mes paupières. Je suis resté ainsi plusieurs minutes avant de percevoir un léger sifflement provenant, semblait-il, du plancher sous le lit.

Puis, sur les murs devenus rouge sombre, des ombres noires se sont mises à tourner, d'abord lentement et progressivement plus vite, comme un cyclone dont j'aurais été le centre. Une espèce de tache jaune explosa au plafond, tache palpitante pourvue de tentacules liquides qui n'en finissaient pas de se dérouler autour de moi. Un bruit de pas se fit alors entendre, ceux d'un homme s'approchant sans cesse, mais n'arrivant jamais à mon chevet. Le bruit provenait du pied du lit, où ils avaient sans doute placé un haut-parleur.

La tache jaune s'étant épanouie jusqu'à recouvrir tous les murs, une autre, verte celle-ci, la remplaça, pour se trouver bientôt absorbée à son tour par une nouvelle. Chaque couleur d'une violence extrême, comme vivante, vibrait autour de moi. Mais des voix ne tardèrent pas à me parvenir, des voix calmes qui parlaient une langue que je ne connaissais pas. Il semblait facile, pourtant, de déceler dans ces voix beaucoup de bon sens, une intelligence certaine et une étrange fierté. Mais quelqu'un voulut m'empêcher d'écouter, des mains se plaquèrent sur mes oreilles, des mains chaudes et moites. Je voulus les écarter d'un geste brusque, mais je basculai contre un corps de femme qui vint se coller tout contre moi. Au même instant, une tache rouge explosa sur le mur, suivie par d'autres. J'étais inondé par les blessures de Mortelle.

Puis le mur devint d'une blancheur éblouissante et je vis que la fille qui me chevauchait portait le masque souriant d'une rectifiée.

Je suis certain que ce n'était pas Mortelle. Aujourd'hui, je marche de long en large et j'ai perdu le calme des autres jours. Ce n'était pas Mortelle, ce n'est pas possible. L'opération est longue, difficile, et ils n'ont pu en venir à bout aussi vite.

Cette question ne doit plus se poser. Bientôt, je porterai le masque et marcherai en groupe sur la Plaine, levant la tête vers le ciel pour capter, par les fentes de mon nouveau visage, un peu de lumière.

On me laisse tranquille à présent. L'infirmière n'a même pas essayé de me parler, elle m'a apporté à manger et m'a quitté aussitôt. Il n'y a personne de l'autre côté de la paroi. On me laisse avec mes souvenirs de la nuit, cette mémoire qu'ils me fabriquent.

Je ne perdrai pas mon temps avec leurs expériences, j'ai d'autres souvenirs, accumulés tout au long de ma vie de malade, et que l'opération va anéantir à tout jamais.

Il m'arrivait de courir toute la nuit sur la Plaine, quand j'étais jeune et ne savais pas que courir est signe de fuite. A cette époque, je courais pour aller quelque part, car j'étais persuadé de toujours trouver quelque part où aller. Je ne savais pas encore que j'étais malade, je me croyais normal, je pensais qu'entre dissemblable et anormal il y avait une différence.

Il m'arrivait parfois de chercher un espace libre et de m'y tenir tout droit comme un lampadaire, immobile et attentif. Alors, les passants s'attroupaient pour me regarder, se frottant les uns aux autres pour se rassurer.

Il m'arrivait aussi de prendre Toya par la taille et de l'emmener très loin sur la Plaine, à l'aventure. Elle me disait :

— Suis-je la seule que tu emmènes sur la Plaine ?

Et je disais :

— Tu es la seule.

L'hérésie gonflait nos poitrines et chacun puisait dans la bouche de l'autre le bonheur d'être choisi.

J'ai toujours été malade, depuis le commencement sans doute. Je ne comprends rien aux autres, et pourtant je ne leur veux aucun mal ; mais ils me haïssent comme si j'étais pour eux une terrible menace.

Je m'en souviens, j'attendais la nuit pour rentrer à la maison, et je prenais l'itinéraire le moins éclairé, et je rêvais de rues étroites, de villes crépusculaires, de chemins obscurs où je n'aurais plus d'ombre à ma suite.

L'infirmière ne m'a pas quitté de la journée. Elle était déjà là à mon réveil, assise sur la chaise et m'examinant en silence. Quand elle a vu que je ne dormais plus, elle a souri. Je me suis tourné et j'ai voulu retrouver le sommeil, mais en vain. Je suis donc resté couché sur le dos, le visage levé vers le plafond où, cette nuit encore, ont coulé les blessures de Mortelle.

La rectifiée n'est pas apparue. Je suis resté seul avec ces taches rouges et noires qui s'épanouissent sans cesse au-dessus de moi comme du sang sur le goudron. Mortelle n'est pas encore guérie, je le sais.

Hier, un autre docteur est venu m'observer, c'était un homme grand et maigre, au visage émacié, probablement incapable de sourire, les yeux vides.

L'infirmière me regarde écrire sans bouger, ses yeux ne me quittent jamais. Elle semble dotée d'une patience infinie. Quand je m'arrête pour réfléchir, elle se penche en avant avec une lueur d'espoir. Sa blouse blanche est entrouverte sur ses cuisses pâles. Chaque fois que je lève les yeux, elle écarte légèrement les jambes. Le temps traîne et me pèse à cause de son attente à elle que je ne peux m'empêcher de ressentir. Sa blouse est maintenant béante. Elle est si blonde que je peux voir les lèvres entrouvertes de son sexe. Elle se lève et s'approche de moi.

Elle a rajusté sa blouse et vient de partir, sans un mot. Je suis plus seul qu'avant. Jamais je n'avais vu une femme s'avilir à ce point.

Elle a ôté sa blouse et s'est longuement caressé le corps en me regardant. Puis elle s'ouvrit avec ses mains, à genoux et me tournant le dos pour mieux s'exhiber. Pour terminer, elle fit de même de face et se donna le plaisir que je lui refusais avec une hystérie silencieuse qui lui ouvrait et fermait la bouche sans un geignement. Mon indifférence l'étonna, comme si elle avait cru qu'en s'attirant mon mépris elle allait me séduire.

J'en viens à comprendre un nouvel aspect de ma maladie : j'aime ce que j'admire. Un homme sain aime ce qu'il méprise. Ou plutôt, un homme sain ne méprise pas, il sait reconnaître un défaut, et ce défaut engendre son amour. Pour un homme sain, aimer les qualités d'un autre n'est pas une preuve d'amour, aimer ses défauts est la plus grande.

Elle est revenue, vêtue à présent d'une blouse noire qui tranche sur la blancheur de sa peau. Elle me regarde avec le sourire, mais elle n'est pas sûre d'elle. J'écris et j'attends. Trois docteurs m'observent à travers la paroi. Une autre fille vient d'entrer, brune, plutôt grande et maigre. Ses seins malingres ballottent sous sa blouse lâche. Elle se tient à l'autre bout de la pièce et ne cesse de me fixer. Les docteurs parlent entre eux sans me quitter des yeux. Une rectifiée surgit soudain, tout à fait nue, les mains sur les hanches. Son sourire capte la lumière trop blanche de la chambre, son masque est frais et luisant. Ce n'est pas Mortelle, je sais que ce n'est pas Mortelle. Sa poitrine semble morte et son ventre fait un creux d'ombre sous la cage thoracique. Elle s'asseoit et son regard ne me quitte plus.

Je ne sais ce qu'elles me veulent, je m'intéresse surtout aux docteurs qui ont l'air très absorbés. Je continue à écrire sur le papier qu'ils m'ont donné et qu'ils me reprennent chaque soir.

Deux vieilles femmes ont fait leur entrée. Elles ont des nattes blanches et la peau écaillée, elles ont été rectifiées il y a longtemps déjà, leur masque a presque disparu. Il n'en reste que ce sourire qu'elles dirigent vers moi, tout en s'accroupissant près des autres. C'est maintenant le tour d'une femme très belle. Elle ne sourit pas, elle a même l'air triste, elle ne me regarde pas. Elle est la seule. Elle se tient à l'écart des autres et veut couvrir son corps nu de ses mains. Sa peau est sombre, ses yeux sont verts, ses cheveux sont noirs. Elle ne me regarde pas.

C'est terminé, je peux raconter la suite. D'autres femmes sont entrées. Des femmes de toutes sortes, dont une boiteuse, et toutes se sont mises à me regarder, sauf celle dont j'ai déjà parlé. Il me semblait qu'elles voulaient me communiquer quelque chose, mais je ne comprenais pas quoi. Derrière la paroi, les docteurs prenaient des notes.

Bientôt, ma chambre fut pleine de femmes qui m'entouraient tandis que je demeurais sur mon lit, recroquevillé comme un enfant. Une fille me prit la main, mais je l'écartai et voulus reculer. Ce fut pour être aussitôt agrippé par-derrière. Deux femmes me saisirent à bras-le-corps, imitées bientôt de toutes les autres, m'écartelant sur le lit pour qu'une vieille pût enfin se hisser sur moi. En dépit de cette foule et du nuage brûlant qui me troublait la vue, je remarquai dans un coin de la pièce la femme qui s'était tenue à l'écart depuis le début, et qui cette fois me regardait.

Soudain, je sentis un liquide chaud me couler sur le ventre, sur les bras et les jambes. La lumière décrut. Une bouche froide s'écrasa sur la mienne, une langue se glissa entre mes dents. J'étouffais et me sentais près d'éclater, tandis que des dizaines de bouches s'ouvraient de tous côtés, ruisselantes, aux lèvres grasses et blêmes.

Alors, je pris la langue entre mes dents et la mordis de toutes mes forces, avalant tout le sang qui se mit à couler. Un long cri monta dans la chambre et une chaleur uniforme se répandit sur moi.

Je me réveillai, le corps couvert de minuscules blessures, d'où le sang s'échappait au rythme de mon cœur. Dans la pénombre de la pièce, je pus distinguer dans un recoin une forme assise, une ombre floue qui paraissait me fixer. Je me levai. C'était la femme aux yeux verts qui s'était toujours tenue à l'écart. Elle leva doucement la bouche vers moi. Je lui pris la tête entre mes mains et l'embrassai. Elle poussa un gémissement. Déjà je m'apprêtais à lui parler, mais je dus constater qu'elle ne respirait plus.

Un autre docteur vient de quitter les lieux. Un homme jeune aux mains longues et fines. Notre entrevue a été particulièrement longue. Il s'est assis en croisant les jambes et m'a posé un tas de questions :

— Savez-vous pourquoi vous êtes ici ?

— Parce que je suis malade.

— Savez-vous que c'est la faute de Mortelle ?

— Non.

— Savez-vous que vous n'êtes pas un malade comme les autres ?

— Non.

— Pouvez-vous l'admettre ?

— Oui.

— La chose vous dérange-t-elle ?

— Non.

— Pensez-vous valoir plus qu'un autre ?

— Plus que certains, oui.

— Qui ?

— Je ne sais pas.

Il se leva, fit quelques pas, les poings enfoncés dans les poches de sa blouse.

— Savez-vous pourquoi vous n'avez pas encore été rectifié ?

— Non.

— A cause de Mortelle. Nous devons d'abord éliminer de votre cerveau, non pas Mortelle, mais ce qu'elle représente pour vous. C'est là qu'est la racine de votre mal. Vous aimez admirer. Voilà la clef de votre aberration. Il ne faut plus que vous admiriez qui que ce soit. Un homme sain n'admire rien, il rit. Il a le sens de l'humour. Tout est risible pour lui. Bientôt, Mortelle vous fera rire.

Il est allé vers la porte et s'est retourné avant de sortir.

— Je vous signale que Mortelle est enceinte.

Ce docteur est très fort. Il connaît bien ma maladie. Lui qui ne peut ni concevoir ni comprendre ce que je ressens à l'égard de Mortelle, lui qui ne connaît que l'amour obligatoire et universel, il sait que je n'aime qu'un être. Comment le sait-il ? Comment a-t-il pu le comprendre, lui qui n'y connaît rien ?

Il me semble que cette question est très importante, mais je ne sais encore pourquoi : ils ont moins de mal à me comprendre que je n'en ai à les comprendre eux-mêmes. Il ne faudra pas l'oublier.

J'ignore tout de leurs intentions. Mes péchés s'étalent au grand jour, je n'essaie plus de les cacher. Peut-être estiment-ils ne pas les connaître tous encore. Mes fautes ne sont pourtant pas si nombreuses.

Je suis nu sous leurs yeux. Je marche de long en large, je mange, j'écris, je réfléchis, je ne souris jamais. Je dors peu, sur le dos, attendant de voir se répandre au plafond, chaque nuit, le sang de celle que je me suis choisie. Que leur manque-t-il ? Depuis toujours, je pose des questions. Cela fait partie de ma maladie, un homme sain ne demande rien, ne s'interroge jamais.

Sur la Plaine, ils courent ensemble et se racontent des histoires drôles, réglementairement.

Cela fait plusieurs jours que je n'ai rien écrit. Ils sont venus me voir et ils s'en sont inquiétés. Un docteur m'a ausculté, a écouté mon cœur, vérifié ma tension, pris ma température. Puis il est parti sans commentaires.

L'infirmière s'est déshabillée devant moi et m'a pris la main qu'elle guidait sur son corps, tandis que des larmes coulaient de ses yeux. D'autres femmes sont venues m'observer derrière la vitre.

La nuit, je ne dors plus, je marche. J'écris ceci en pleine nuit, dans cette lumière blanche qui ne faiblit jamais. Les docteurs sont là, l'infirmière a dû les appeler, ils me voient écrire à nouveau et paraissent tourmentés. Lorsque nos regards se croisent, ils ne sourient plus. Ils cherchent à lire quelque chose dans mes yeux, mais en vain.

J'écris à nouveau, je me parle, je ne serai pas guéri tant qu'ils ne m'auront pas ouvert le cerveau pour en extraire le mal. Il est tard. Un docteur vient d'ouvrir la porte et m'ordonne de me lever. Il vient vers moi. Avant de p

Je suis de retour. Je ne sais depuis combien de temps je suis parti de cette pièce. Rien n'y a changé, je la retrouve comme je l'ai quittée.

Le docteur a arrêté ma main sur le papier et m'a fait lever. Nous sommes sortis dans le couloir où docteurs et infirmières s'étaient massés. Certains se sont approchés pour me toucher. Nous avons marché longtemps entre les parois de verre. Je tenais encore mon crayon à la main.

Il m'a laissé devant une porte et je suis entré dans une salle sombre, rougeâtre, tapissée de silhouettes lumineuses, où m'attendait un vieil homme obèse, vautré dans une sorte de cuve en émail blanc. Des tubes jaunes reliaient les veines de ses bras aux bocaux qui les alimentaient. Ces bocaux pendaient du plafond sur des fils invisibles. Le visage de l'homme était tout plissé, la peau sillonnée d'innombrables veinules, la bouche lippue entrouverte. Les yeux, perdus au fond de profondes cavités, étaient clos.

Des haut-parleurs dissimulés dans la salle amplifiaient les battements lourds et irréguliers de son cœur et sa respiration difficile, entrecoupée de râles et d'accès de toux. A mon approche, ses yeux s'ouvrirent, des yeux presque blancs, ternis par une membrane opaque. Sa voix rauque était presque inaudible.

— Pourquoi haïssez-vous vos frères ?

— Je ne les hais pas. Ils me sont indifférents, à part certains.

— Vous les haïssez puisque...

Il s'arrêta pour écouter son cœur, dont le rythme s'était précipité.

— ... puisque vous voulez les tuer.

— C'est faux, je...

— Taisez-vous. Ceux qui ne veulent pas aider leurs frères veulent les tuer, c'est l'évidence.

Il inspira bruyamment, avec des raclements de gorge.

— Ils vous aiment, eux, pourquoi ne pas le leur rendre ?

— Je ne les connais pas, comment puis-je les aimer ?

— Celui qui aime vraiment le fait sans discrimination. Il n'y a aucun mérite à aimer une personne de connaissance, aucun. Pourquoi aimez-vous ?

— Parce qu'on me plaît.

— On vous séduit ?

— Non, on me plaît, pour ce qu'on est.

Il ferma les yeux.

— Je ne comprends pas.

— On fait quelque chose que j'admire et j'aime la personne qui fait ce que j'admire.

Son cœur se mit à battre plus fort et sa respiration s'accéléra. Puis les battements s'arrêtèrent net, on entendit un sifflement prolongé et le cœur se remit en marche avec régularité, cependant que dans les yeux de l'homme s'allumait une lueur soudaine, un reflet aigu qui s'estompa aussi rapidement.

— Vous venez de proférer la plus abominable hérésie qui soit, vous avez dit qu'il fallait *mériter* votre amour.

Un filet de salive coulait du coin de ses lèvres. Il me fit signe de sortir. Je pris la porte indiquée, suivis un couloir et me retrouvai dans une longue pièce aux murs translucides.

Dès ce moment, les événements se brouillèrent et je n'en conserve que des souvenirs à peine perceptibles. Il me sembla que la pièce entière explosait, qu'une fumée épaisse s'élevait du plancher, qu'une musique stridente me remplissait les oreilles, tandis qu'une eau sale, balayant le sol, me monta bientôt jusqu'aux genoux. C'est dans l'obscurité complète que je fis quelques pas en pataugeant, les mains tendues en avant. Puis l'eau se remit à monter et je fus finalement contraint de nager jusqu'à ce que ma tête atteignît le plafond. C'est en y collant mon visage que je pus continuer à respirer, car l'eau s'arrêta à deux centimètres de la paroi. Une trappe s'ouvrit alors, par laquelle se tendit une main offerte que j'agrippai. Je me retrouvai allongé sur le sol cimenté d'une petite pièce déserte. Un docteur entra, me fit une piqûre et me donna une serviette pour me sécher.

Je me réveillai dans un lit, en compagnie d'une vieille femme dont les bras pressaient ma tête contre sa poitrine maigre et brûlante. Elle se mit à me consoler d'une voix chevrotante. Je lui répondis, mais je ne sais plus quoi. Il me reste en mémoire quelques bribes de phrases : « Haïr... tous, tuer pour aider, aimer pour tuer... sauver... on ne peut aimer sans tuer... », etc.

On me fit de nombreuses piqûres et je parlai énormément. Chaque fois, je me trouvai dans les bras d'une femme ou d'un homme, et chaque fois je parlai intarissablement.

Je ne me souviens pas de ce qu'ils m'ont dit. Je sais seulement que c'est dans les larmes de ceux que je n'avais pas voulu aimer que je m'étais presque noyé. C'est du moins ce qu'ils m'ont appris.

D'un point de l'horizon, un homme courait vers moi, la main tendue dans ma direction. Il chancelait, semblait à bout de résistance, mais au fur et à mesure qu'il approchait, je reculai, un couteau à la main. L'homme posa la main sur mon épaule et commença une histoire drôle. Je lui plongeai le couteau dans le ventre.

Un vent glacial soufflait en rafales dans les couloirs où je me mis à courir. Derrière les parois givrées, les docteurs étaient alignés comme de longues files de statues blanches. Je glissai, tombai, serrai les dents et respirai par le nez, afin de rendre l'air glacé moins brûlant dans mes poumons. Brusquement, je m'arrêtai, fis demi-tour et retournai près du cadavre. Je tournai le couteau contre ma poitrine, mais le rabaissai aussitôt. Derrière la vitre, je vis le désappointement des docteurs. M'accroupissant près du cadavre, je me mis à lui raconter une histoire drôle.

Voilà tout ce que je ramène de ce périple hors de ma chambre. Sans doute sont-ce les préliminaires de la rectification. Je n'en ai plus pour longtemps.

Depuis plusieurs jours, je ne vois personne, je n'écris pas, j'attends. Je crois que je suis fatigué. Il me reste si peu de choses, vraiment, et pourtant j'ai mal à l'idée de les perdre. J'ai beau savoir que je retrouverai l'odeur de la nuit tombante et du petit matin, ce sera sans souvenirs. Je suis trop vieux pour renaître.

Des mois sans doute ont passé. Bientôt, les docteurs viendront me chercher pour la rectification. L'attente est terminée, je suis prêt.

Il y a deux jours, une infirmière m'a emmené dans une longue pièce fortement éclairée par des néons mauves où je demeurai seul un instant. J'étais fatigué, sans curiosité. De loin, je vis arriver une femme qui portait un enfant. Je ne distinguai d'abord que sa silhouette contre les vitres blanches. Elle se rapprocha et je reconnus les cheveux noirs et le corps d'un blanc éclatant. Mortelle embrassait l'enfant en marchant et le tenait avec amour. Elle était presque aussi belle qu'avant.

Nous nous regardâmes un moment et je fis un pas dans sa direction. Moi aussi, j'étais nu et blanc. Pour la première fois depuis mon arrivée ici, j'avais peur.

Elle vint vers moi, sans quitter l'enfant des yeux. Puis elle redressa la tête et son regard croisa le mien. Nous restâmes immobiles, on aurait dit que nous attendions un ordre. Alors, elle leva haut le bébé et le projeta sur le sol, où son crâne se brisa. Nous courûmes l'un vers l'autre.

MORTELLE

Maintenant je tremble et puis à peine écrire. Je sais ce que je n'aurais jamais dû savoir. Maintenant, Mortelle va être rectifiée. Je vais être rectifié. Je sais tout, et j'attends le docteur pour le lui dire. Il entre, prépare la piqûre. J'attends et j'écris. Le silence paraît plus épais : je me prépare à le faire éclater. Je tends le bras, il avance l'aiguille. Alors, je parle :

— Je ne suis pas malade.

Il recule et va pour sortir. Je n'arrête pas d'écrire, tout en le regardant. Il se ravise brutalement et plonge l'aiguille dans mon bras. A présent, il est sorti. Déjà, mon corps s'alourdit. Je suis comme un enfant, je pleure. Je ne suis pas malade.

J'habite le Carré 32.555.692 Nord. Je ne sais pas pourquoi j'écris ceci, si ce n'est qu'en le faisant je voudrais servir mes amis, leur être utile. Il me semble qu'en consignant ces quelques pensées et quelques-unes des meilleures histoires drôles que je connais, en donnant en quelque sorte l'exemple d'un esprit désintéressé et sociable, ce papier, qu'à présent je remplis la nuit en secret, pourrait bien être reconnu d'intérêt public et m'apporter une renommée de bon aloi.

Je suis un rectifié et arbore le sourire collectif avec sérénité. Autrefois, je portais les germes d'une maladie, d'une aberration si profonde que l'Etat, qui ne veut dans sa générosité abandonner aucun de ses sujets, dut remodeler et mon cerveau et mon visage, afin que je puisse goûter sans contrainte les fruits de la vie collective. Ma gratitude à ce sujet est grande, mais il me semble que jamais elle n'aura de commune mesure avec celle que mérite l'infatigable sollicitude du gouvernement.

Aussi, en écrivant cette chronique, voudrais-je essayer de compenser cette disproportion et montrer à ceux qui m'ont sauvé que leur geste généreux n'a pas été vain.

Nous sommes quatre dans notre maison, tous rectifiés. Il y a Norse et Midelle, qui vont bientôt partir car ils sont vieux, et nous n'avons plus besoin d'eux. Ils sont heureux de savoir leur tâche menée à bien et se préparent à nous quitter avec sérénité. Il y a celle que l'Etat m'a octroyée : elle se nomme Glise et elle est bonne, car elle ne pense jamais à elle et se dépense toujours pour les autres. Ainsi, un jour que je lui avais imprudemment demandé combien d'autres avant moi avaient connu la douceur de ses organes, elle fit venir un camarade auquel elle s'abandonna devant moi, afin de me débarrasser de mes mauvaises pensées.

Elle connaît de nombreuses histoires drôles et les répète souvent, si bien que les conversations ne tarissent jamais à la maison et que la gaieté est toujours de mise.

Si j'écris la nuit à son insu, c'est pour lui faire une surprise, plus tard, car il n'y a pas de secrets entre nous. En ce moment, elle dort à mes côtés et la lumière jette des reflets bleutés sur son éternel sourire.

Tout à l'heure, nous nous sommes accouplés, et dès le début elle s'est mise à raconter des histoires, afin que rien ne vienne plus distinguer notre plaisir de l'hilarité commune, les spasmes de nos deux corps de ce grand éclat de rire collectif dont dépend notre bonheur.

Je travaille au ministère de l'Education à la confection de livres de classe. C'est un travail fort simple qui consiste à vérifier la finition des livres avant qu'on ne les expédie. Pourtant, il me permet de feuilleter des pages imprimées, et il est vrai que nous avons toujours quelque chose à apprendre et que nous oublions souvent ce que nous croyons avoir retenu. J'ai relevé cette phrase, l'autre jour, qui montre assez combien l'Etat s'attache à prouver le bien-fondé de sa politique :

« A tout moment et en tout temps, il sera possible au citoyen de vérifier l'équité de sa position sociale ; *il lui suffira de comparer sa position à celle de son ou de ses voisins.* Lorsque les positions respectives ne seront plus identiques, il saura que l'équilibre social est rompu et que l'injustice règne. Mais, que ce soit dans la misère ou la prospérité, si les positions sont les mêmes, ce citoyen aura conscience de s'intégrer pleinement au sort de la société et d'en faire inéluctablement partie. CAR L'INÉGALITÉ EST TOUJOURS ÉGALE A L'INJUSTICE. »

Voici déjà la troisième nuit que j'écris. Les jours passent vite et les mots se suivent facilement. Depuis que j'ai commencé, je me sens un peu différent, et parfois, au travail, je regarde mes collègues en pensant à la surprise que je leur réserve. Il y a du plaisir à puiser dans ce secret, puisqu'il est destiné à être bientôt révélé à tous.

Le soir, sortis de l'atelier, nous marchons ensemble sur la Plaine, bien serrés les uns contre les autres, nous racontant des histoires drôles à pleine voix. Souvent, nous marchons au pas, car il est doux de voir une rangée de pieds se poser au même moment sur le sol et de se sentir unis par une même cadence.

Parfois, une rectifiée me tire le bras et m'entraîne dans sa maison, où elle se déshabille sans désir et se donne sans plaisir avec toute l'exaltation du sacrifice authentique. Cet amour-là, on le sait, est le seul véritable.

Une chose m'inquiète. Pour continuer à rédiger cette chronique, j'ai dû soustraire quelques feuilles au ministère où je travaille. Bien sûr, cet écart me sera pardonné lorsque le présent travail sera dévoilé, mais, en attendant, j'en ressens un certain malaise. D'autre part, pour pouvoir travailler la nuit, il m'a fallu surmonter cette peur de l'obscurité qui caractérise les citoyens de ma condition.

En vérité, je me suis tenu un raisonnement qui me paraît valable : pour être en mesure de témoigner, faire part de mon approbation et de ma gratitude, pour décrire les faits, je suis obligé de prendre un certain recul par rapport aux autres. Mais je ne recule que pour mieux les servir et les rejoindre après. En effet, on peut parler d'une chose en la regardant de près, mais une collectivité ne se voit que de loin. Je suis donc obligé de quitter la chaleur du groupe si je veux lui rendre hommage. C'est un sacrifice que les dirigeants de l'Etat doivent accomplir toute leur vie, et je me propose de les imiter, le temps de mener à bien cette tâche que je me suis assignée.

Demain, je continuerai.

Ils sont venus arrêter un de mes collègues, un rectifié un peu taciturne qui travaillait non loin de moi. Mon ami Zess l'a entendu raconter une histoire triste pendant l'heure du déjeuner et, bien entendu, l'a dénoncé. Tout le monde a félicité Zess et lui a serré la main, mais il faut avouer que certains étaient un peu jaloux de n'avoir pas remarqué le coupable avant lui.

Quant à moi, en serrant la main de Zess, je n'ai pu m'empêcher de penser à mon travail nocturne, pour lequel, s'il l'avait su, il m'aurait certainement dénoncé. Voilà bien le paradoxe de ma situation : voulant contribuer à quelque chose de valable pour la collectivité, je dois m'écarter d'elle et risquer sa colère. Pourtant, il faut examiner les faits avec précision, et il est bien évident que mon geste est un sacrifice. Le sacrifice étant le fondement de la morale, il est tout à fait impossible que je sois en faute.

Nuit étrange. Glise est tournée vers moi, et bien qu'elle dorme, j'ai l'impression qu'elle me regarde. Sur la Plaine, les soldats sont nombreux à courir. On dirait qu'ils cherchent quelqu'un. Je crois que je vais arrêter d'écrire pour le moment.

Je vais abandonner. J'ai déjà rempli plusieurs pages, et pourtant je n'ai fait qu'amorcer les raisons qui m'ont poussé à les écrire. Peut-être n'étaient-ce pas les vraies raisons, c'est du moins ce que je commence à craindre et c'est pourquoi j'ai décidé de m'arrêter.

Depuis quelques jours, je me sens différent. Le sacrifice était sans doute trop lourd pour moi. Il me faut reprendre le fil de ma vie antérieure, replonger parmi mes camarades pour récupérer ce qu'il me semble avoir perdu. Je ne me poserai plus de questions, car je n'aime pas les réponses qui m'éloignent de mes amis.

Plus tard, peut-être, quand je serai prêt, je reprendrai ce travail. En attendant, il ne me reste qu'à me taire.

Cela fait plus d'un an que je n'ai rien écrit. Depuis plus d'un an, je suis resté éveillé une grande partie de chaque nuit à regarder la Plaine et attendre je ne sais trop quoi.

Norse et Midelle sont partis, il y a quelques mois, ensemble. On les a trouvés enlacés dans l'attitude grotesque de l'amour. Glise dit que leur mort a été parfaite, puisque risible.

J'ignore pourquoi j'ai recommencé à écrire, ou plutôt je préfère ne pas trop y penser. Mais ce que je vais écrire restera ignoré des yeux des autres. Je sais ce que cela représente, je sais la portée de ce que je viens d'écrire. Je sais que je suis malade.

Même mes intentions premières étaient suspectes, puisqu'il s'agissait déjà de me distinguer des autres. Je n'ai pas de mots pour décrire mon malheur. Je suis à peine capable de me l'expliquer. Je ne sais combien de temps il faudra aux autres pour découvrir le mal qui me ronge sous mon masque souriant.

.

Glise a remarqué quelque chose. Souvent, elle me regarde longuement avant de s'endormir. Ce soir, elle m'a raconté six histoires drôles d'affilée. J'ai fait semblant de dormir pendant plus d'une demi-heure avant de me mettre à écrire. Pourtant, je n'ai plus aucun plaisir à le faire. Quand je vois mes hérésies se multiplier sur la feuille, je n'en suis que plus conscient de ma maladie, mais je ne peux m'empêcher de continuer.

J'ai quelque chose à raconter. Il y a une nouvelle rectifiée au ministère. Elle a de longs cheveux noirs, et à travers les fentes de son masque, ses yeux sont d'un vert violent. Chaque fois qu'elle entre quelque part ou quitte une pièce où je suis, je le sens, même quand j'ai le dos tourné. Je la regarde aussi souvent que possible, tout le temps que Zess n'est pas dans les parages. Je crois qu'elle aussi me regarde. Tout le monde lui parle, sauf moi. Elle parle à tout le monde, sauf à moi.

Je voudrais essayer de la décrire, avant qu'il ne soit trop tard. Elle monte les escaliers sans utiliser la rampe, avec lenteur. Ses genoux paraissent à chaque pas. Ses mains sont pâles, les paumes carrées mais les doigts effilés.

Quand elle penche la tête, une mèche tombe sur

son front. Elle la rejette d'un geste rapide. Au réfectoire elle mange sans couteau, et lorsqu'elle boit elle tient son verre à deux mains. Elle ouvre un livre en posant quatre doigts bien à plat sur la couverture qu'elle écarte avec son pouce. Elle reste longtemps sur la même page ; on dirait qu'elle ne sait pas lire ou qu'elle apprend par cœur.

Demain, je lui parlerai.

Nous nous sommes croisés devant le comptoir des expéditions. Elle ne m'a pas regardé, elle a posé ses livres, a signé la fiche, et puis elle est sortie. Elle m'attendait dans le couloir.

Nous nous sommes regardés en silence. J'ai dit très vite :

— Je voulais vous parler.

— Oui.

Sa voix est basse. Nous avons marché le long du couloir.

— Je voulais vous parler, et à personne d'autre.

— Je vous attendais, et personne d'autre.

Puis nous avons rejoint les autres. Mais durant l'après-midi, où je l'ai souvent cherchée des yeux, elle n'a jamais regardé dans ma direction.

Je ne puis trouver le sommeil. Glise dort à mes côtés, sa main négligemment posée sur mon ventre.

De temps à autre, son masque paraît tressaillir doucement. La Plaine s'étend de l'autre côté de la vitre, quadrillée d'ombre et de lumière, déserte. J'attends.

Au réfectoire, je me suis assis à côté d'elle. Je lui ai raconté plusieurs histoires drôles, parce que Zess nous regardait. Elle a appuyé sa jambe contre la mienne.

J'ai remarqué de petites rides sur son masque, de part et d'autre de la bouche, comme si elle avait voulu la courber dans l'autre sens, inverser le perpétuel sourire des rectifiés.

En rentrant ce soir, j'ai découvert des marques analogues sur mon propre masque.

Nous nous sommes promenés sur la Plaine, à l'écart des autres qui nous surveillaient.

— J'écris, la nuit.

Elle m'a regardé, puis elle a porté les mains à son masque. Lorsqu'elle les a retirées, j'ai vu se dessiner de minuscules craquelures sur son front, autour des fentes.

— Qu'est-ce que vous écrivez ?

— Tout. J'ai écrit sur vous.

Une fois de plus, elle m'a fixé de ses yeux verts qui brillaient dans l'ombre des fentes.

— Quand vous écrivez...

Elle s'arrêta, comme pour réfléchir.

— ... vous asseyez-vous sur votre lit avec votre papier sur les genoux ?

— Comment le savez-vous ?

— Je ne sais pas.

Nous nous sommes séparés et elle a rejoint les autres. Je me suis remis à marcher seul sur la Plaine sans me préoccuper de l'étonnement que la promenade solitaire d'un rectifié provoquait chez les passants. Un bras de femme me prit soudain par la taille. Je me dégageai brutalement en levant le poing, comme pour frapper la rectifiée. Je restai ainsi un instant, surpris de ma réaction, incapable de la comprendre. La rectifiée s'éloigna à reculons, les yeux fixés sur mon masque. Je portai la main à mon front et constatai qu'une craquelure profonde striait ma tempe.

Maintenant, tandis que j'écris, sur mon lit et dans la position qu'elle a décrite, je sens en moi un calme étrange, une sorte de paix. Glise dort, la Plaine est vide et je n'entends que les craquements de mon masque qui se fendille dans le noir.

Ensemble, nous avons arpenté le couloir. Nos épaules se sont touchées. Nous nous sommes arrêtés dans un coin, appuyés l'un contre l'autre. Ses mains ont lentement parcouru mon masque.

Plus tard, j'ai voulu lui parler. J'ai traversé l'atelier à sa recherche et mes collègues se sont retournés sur mon passage, car ma démarche a changé. Je l'ai remarqué, je ne puis y remédier. Je lui ai demandé de venir me rejoindre cette nuit sur la Plaine. Elle a dit oui.

J'écris sans doute pour la dernière fois, car dans quelques minutes je vais partir. De toute façon, nos masques sont en train de nous trahir. Ils sont ridés, craquelés, fêlés par endroits.

La Plaine est vide, couverte de nuages noirs qui s'élèvent lentement dans la lumière blafarde.

Mon masque brûle et crépite. Glise dort mal, s'agite et se retourne. De violentes bourrasques secouent la maison.

Elle vient. Sa silhouette glisse sur le sol nuageux et il me semble déjà entendre sa voix portée par le vent. J'y vais.

Je suis dans une de ces chambres blanches où la lumière ne s'éteint jamais. Des docteurs m'entourent, je suis mourant. J'ai reçu des balles dans le ventre, dans l'épaule et dans le poumon. Quand je respire, ma poitrine explose et le sang coule de ma bouche.

Lorsque j'ai repris connaissance, ils m'ont posé des questions d'ordre médical. Puis un homme portant des lunettes rouges et une blouse rose s'est penché sur moi.

— C'est elle qui vous a trahi, savez-vous ?

Il m'a regardé avec une expression douloureuse, puis m'a tendu une feuille de papier et un crayon.

— Ecrivez.

Elle est morte. C'est terminé.

J'ai marché vers elle sur la Plaine, et dans la nuit, sans comprendre, parce qu'il le fallait. Nous nous sommes rejoints et nous nous sommes longuement regardés. Elle a dit :

— Viens.

Nous avons couru ensemble, sans nous arrêter, pendant des heures. Ses cheveux flottaient autour de son masque. Nous avons traversé plusieurs Carrés, courant si vite que les lampadaires alignés se brouillaient dans nos yeux. Les nuages noirs s'écartaient devant nous et se refermaient après notre passage.

Bientôt, nous avons parcouru d'autres Carrés en construction, mal éclairés, où nous sommes souvent tombés. La nuit nous couvait et nous devions nous agripper l'un à l'autre pour ne pas nous perdre. Elle s'est mise à rire, nous nous sommes enlacés et chacun a posé ses mains sur le masque de l'autre.

— Tu es prêt ?

— Tu es prête ?

Nous avons arraché nos masques lambeau après lambeau, sans mot dire. Du sang coulait des joues et du front mis à nu. Malgré la souffrance qui nous faisait haleter et gémir, notre perpétuel sourire finit par disparaître et, au bout de plusieurs heures, notre ancien visage apparut. Alors, nos lèvres se sont rejointes.

Nous avons ôté nos vêtements et nous les avons posés sur un tas de graviers. Nous nous sommes couchés nus dans les nuages sombres que le vent de la ville chassait devant lui jusqu'à nous.

Une lumière blanche est apparue au loin, se rapprochant à grande vitesse. Nous nous sommes levés sans un geste pour nous enfuir. La lumière a grandi, puis s'est arrêtée sur nous, pressés l'un contre l'autre sur le tas de graviers.

C'était une sorte de plate-forme mobile courant dans la nuit, sur laquelle étaient braqués un projecteur et une mitrailleuse lourde. Un rectifié au large sourire visait dans notre direction.

Elle se précipita devant moi et les premières balles

lui criblèrent le dos. Elle se cassa en deux et tomba contre moi. Les bras repliés sur mon ventre troué, je m'affaissai à ses côtés sans quitter des yeux le sourire du tireur au-dessus de nous.

IMPRESSION : BRODARD ET TAUPIN À LA FLÈCHE
DÉPÔT LÉGAL : MARS 1996. N° 28587 (1737N-5)

Collection Points

DERNIERS TITRES PARUS

R475. Franny et Zooey, *par J. D. Salinger*
R476. Vaulascar, *par Michel Braudeau*
R477. La Vérité sur l'affaire Savolta, *par Eduardo Mendoza*
R478. Les Visiteurs du crépuscule, *par Eric Ambler*
R479. L'Ancienne Comédie, *par Jean-Claude Guillebaud*
R480. La Chasse au lézard, *par William Boyd*
R481. Les Yaquils, *suivi de* Ile déserte, *par Emmanuel Roblès*
R482. Proses éparses, *par Robert Musil*
R483. Le Loum, *par René-Victor Pilhes*
R484. La Fascination de l'étang, *par Virginia Woolf*
R485. Journaux de jeunesse, *par Rainer Maria Rilke*
R486. Tirano Banderas, *par Ramón del Valle-Inclán*
R487. Une trop bruyante solitude, *par Bohumil Hrabal*
R488. En attendant les barbares, *par J. M. Coetzee*
R489. Les Hauts-Quartiers, *par Paul Gadenne*
R490. Je lègue mon âme au diable
par Germán Castro Caycedo
R491. Le Monde des merveilles, *par Robertson Davies*
R492. Louve basse, *par Denis Roche*
R493. La Couleur du destin
par Carlo Fruttero et Franco Lucentini
R494. Poupée blonde
par Patrick Modiano, dessins de Pierre Le-Tan
R495. La Mort de Lohengrin, *par Heinrich Böll*
R496. L'Aïeul, *par Aris Fakinos*
R497. Le Héros des femmes, *par Adolfo Bioy Casares*
R498. 1492. Les Aventures de Juan Cabezón de Castille
par Homero Aridjis
R499. L'Angoisse du tigre, *par Jean-Marc Roberts*
R500. Les Yeux baissés, *par Tahar Ben Jelloun*
R501. L'Innocent, *par Ian McEwan*
R502. Les Passagers du Roissy-Express
par François Maspero
R503. Adieu à Berlin, *par Christopher Isherwood*
R504. Remèdes désespérés, *par Thomas Hardy*

R505. Le Larron qui ne croyait pas au ciel
par Miguel Angel Asturias
R506. Madame de Mauves, *par Henry James*
R507. L'Année de la mort de Ricardo Reis, *par José Saramago*
R508. Abattoir 5, *par Kurt Vonnegut*
R509. Comme je l'entends, *par John Cowper Powys*
R510. Madrapour, *par Robert Merle*
R511. Ménage à quatre, *par Manuel Vázquez Montalbán*
R512. Tremblement de cœur, *par Denise Bombardier*
R513. Monnè, Outrages et Défis, *par Ahmadou Kourouma*
R514. L'Ultime Alliance, *par Pierre Billon*
R515. Le Café des fous, *par Felipe Alfau*
R516. Morphine, *par Mikhaïl Boulgakov*
R517. Le Fou du tzar, *par Jaan Kross*
R518. Wolf et Doris, *par Martin Walser*
R519. La Course au mouton sauvage, *par Haruki Murakami*
R520. Adios Schéhérazade, *par Donald Westlake*
R521. Les Feux du Bengale, *par Amitav Ghosh*
R522. La Spéculation immobilière, *par Italo Calvino*
R523. L'homme qui parlait d'Octavia de Cadix
par Alfredo Bryce-Echenique
R524. V., *par Thomas Pynchon*
R525. Les Anges rebelles, *par Robertson Davies*
R526. Nouveaux Contes de Bustos Domecq
par Jorge Luis Borges et Adolfo Bioy Casares
R527. Josepha, *par Christopher Frank*
R528. L'Amour sorcier, *par Louise Erdrich*
R529. L'Europe mordue par un chien, *par Christophe Donner*
R530. Les hommes qui ont aimé Evelyn Cotton
par Frank Ronan
R531. Agadir, *par Mohammed Khaïr-Eddine*
R532. Brigitta, *par Adalbert Stifter*
R533. Lune de miel et d'or, *par David Shahar*
R534. Histoires de vertige, *par Julien Green*
R535. Voyage en France, *par Henry James*
R536. La Femme de chambre du Titanic, *par Didier Decoin*
R537. Le Grand Partir, *par Henri Gougaud*
R538. La Boîte noire, *par Jean-Luc Benoziglio*
R539. Le Prochain sur la liste, *par Dan Greenburg*
R540. Topkapi, *par Eric Ambler*

R541. Hôtel du lac, *par Anita Brookner*
R542. L'Aimé, *par Axel Gauvin*
R543. Vends maison, où je ne veux plus vivre, *par Bohumil Hrabal*
R544. Enquête sous la neige, *par Michael Malone*
R545. Sérénissime, *par Frédéric Vitoux*
R547. Les Girls du City-Boum-Boum, *par Vassilis Alexakis*
R548. Les Rives du fleuve Bleu, *par Emmanuel Roblès*
R549. Le Complexe polonais, *par Tadeusz Konwicki*
R550. La Patte du scarabée, *par John Hawkes*
R551. Sale Histoire, *par Eric Ambler*
R552. Le Silence des pierres, *par Michel del Castillo*
R553. Une rencontre en Westphalie, *par Günter Grass*
R554. Ludo & Compagnie, *par Patrick Lapeyre*
R555. Les Calendes grecques, *par Dan Franck*
R556. Chaque homme dans sa nuit, *par Julien Green*
R557. Nous sommes au regret de..., *par Dino Buzzati*
R559. Nouvelles démesurées, *par Adolfo Bioy Casares*
R560. Sylvie et Bruno, *par Lewis Carroll*
R561. L'Homme de Kiev, *par Bernard Malamud*
R562. Le Brochet, *par Eric Ambler*
R563. Mon valet et moi, *par Hervé Guibert*
R564. Les Européens, *par Henry James*
R565. Le Royaume enchanté de l'amour, *par Max Brod*
R566. Le Fou noir *suivi de* Le Poing fermé, *par Arrigo Boito*
R567. La Fin d'une époque, *par Evelyn Waugh*
R568. Franza, *par Ingeborg Bachmann*
R569. Les Noces dans la maison, *par Bohumil Hrabal*
R570. Journal, *par Jean-René Huguenin*
R571. Une saison ardente, *par Richard Ford*
R572. Le Dernier Été des Indiens, *par Robert Lalonde*
R573. Beatus Ille, *par Antonio Muñoz Molina*
R574. Les Révoltés de la « Bounty »
par Charles Nordhoff et James Norman Hall
R575. L'Expédition, *par Henri Gougaud*
R576. La Loi du capitaine, *par Mike Nicol*
R577. La Séparation, *par Dan Franck*
R578. Voyage autour de mon crâne, *par Frigyes Karinthy*
R579. Monsieur Pinocchio, *par Jean-Marc Roberts*
R580. Les Feux, *par Raymond Carver*
R581. Mémoires d'un vieux crocodile, *par Tennessee Williams*

R582. Patty Diphusa, la Vénus des lavabos
par Pedro Almodóvar
R583. Le Voyage de Hölderlin en France
par Jacques-Pierre Amette
R584. Les Noms, *par Don DeLillo*
R585. Le Châle, *par Cynthia Ozick*
R588. Mr. Stone, *par V.S.Naipaul*
R589. Loin de la troupe, *par Heinrich Böll*
R590. Dieu et nous seuls pouvons, *par Michel Folco*
R591. La Route de San Giovanni, *par Italo Calvino*
R592. En la forêt de longue attente, *par Hella S.Haasse*
R593. Lewis Percy, *par Anita Brookner*
R594. L'Affaire D., *par Charles Dickens*
Carlo Fruttero et Franco Lucentini
R595. La Pianiste, *par Elfriede Jelinek*
R596. Un air de famille, *par Michael Ondaatje*
R597. L'Ile enchantée, *par Eduardo Mendoza*
R598. Vineland, *par Thomas Pynchon*
R599. Jolie, la fille !, *par André Dubus*
R602. Le Déménagement, *par Jean Cayrol*
R603. Arrêt de jeu, *par Dan Kavanagh*
R605. La Belle Affaire, *par T. C. Boyle*
R609. Une femme en soi, *par Michel del Castillo*
R610. Le Parapluie jaune, *par Elsa Lewin*
R611. L'Amateur, *par André Balland*
R612. Le Suspect, *par L.R. Wright*
R613. Le Tueur des abattoirs, *par Manuel Vázquez Montalbán*
R614. Mémoires du Capitán Alonso de Contreras
par Alonso de Contreras
R615. Colère, *par Patrick Grainville*
R616. Le Livre de John, *par Michel Braudeau*
R617. Faux Pas, *par Michel Rio*
R618. Quelqu'unbis est mort, *par Jean-Luc Benoziglio*
R619. La Vie, quelque part, *par Anita Brookner*
R620. Iblis ou la Défroque du serpent, *par Armande Gobry-Valle*
R621. Fin de mission, *par Heinrich Böll*
R622. Les Mains vides, *par Maurice Genevoix*
R623. Un amour de chat, *par Frédéric Vitoux*
R624. Johnny s'en va-t-en guerre, *par Dalton Trumbo*
R625. La Remontée des cendres, *par Tahar Ben Jelloun*

R626. L'Enfant chargé de songes, *par Anne Hébert*
R628. La Terre et le Sang, *par Mouloud Feraoun*
R629. Le Cimetière des fous, *par Dan Franck*
R630. Cytomégalovirus, *par Hervé Guibert*
R631. La Maison Pouchkine, *par Andreï Bitov*
R632. La Mémoire brûlée, *par Jean-Noël Pancrazi*
R633. Le taxi mène l'enquête, *par Sam Reaves*
R634. Les Sept Fous, *par Roberto Arlt*
R635. La Colline rouge, *par France Huser*
R636. Les Athlètes dans leur tête, *par Paul Fournel*
R637. San Camilo 1936, *par Camilo José Cela*
R638. Galíndez, *par Manuel Vázquez Montalbán*
R639. China Lake, *par Anthony Hyde*
R640. Tlacuilo, *par Michel Rio*
R641. L'Élève, *par Henry James*
R642. Aden, *par Anne-Marie Garat*
R644. Dis-moi qui tuer, *par V.S. Naipaul*
R645. L'Arbre d'amour et de sagesse, *par Henri Gougaud*
R646. L'Étrange Histoire de Sir Hugo et de son valet Fledge
par Patrick McGrath
R647. L'Herbe des ruines, *par Emmanuel Roblès*
R648. La Première Femme, *par Nedim Gürsel*
R649. Les Exclus, *par Elfriede Jelinek*
R650. Providence, *par Anita Brookner*
R651. Les Nouvelles Mille et Une Nuits, vol.1
par Robert Louis Stevenson
R652. Les Nouvelles Mille et Une Nuits, vol.2
par Robert Louis Stevenson
R653. Les Nouvelles Mille et Une Nuits, vol.3
par Robert Louis Stevenson
R654. 1492. Mémoires du Nouveau Monde
par Homero Aridjis
R655. Lettres à Doubenka, *par Bohumil Hrabal*
R657. Cassandra, *par John Hawkes*
R658. La Fin des temps, *par Haruki Murakami*
R659. Mémoires d'un nomade, *par Paul Bowles*
R660. La Femme du boucher, *par Li Ang*
R661. Anaconda, *par Horacio Quiroga*
R662. Le Polygone étoilé, *par Kateb Yacine*
R663. Je ferai comme si je n'étais pas là, *par Christopher Frank*

R665. Un homme remarquable, *par Robertson Davies*
R666. Une sécheresse à Paris, *par Alain Chany*
R667. Charles et Camille, *par Frédéric Vitoux*
R668. Les Quatre Fils du Dr March, *par Brigitte Aubert*
R669. 33 Jours, *par Léon Werth*
R670. La Mort à Veracruz, *par Héctor Aguilar Camín*
R671. Le Bâtard de Palerme, *par Luigi Natoli*
R672. L'Ile du lézard vert, *par Eduardo Manet*
R673. Juges et Assassins, *par Michael Malone*
R674. L'Enfant de Port-Royal, *par Rose Vincent*
R675. Amour et Ordures, *par Ivan Klíma*
R676. Rue de la Cloche, *par Serge Quadruppani*
R677. Les Dunes de Tottori, *par Kyotaro Nishimura*
R678. Lucioles, *par Shiva Naipaul*
R679. Tout fout le camp !, *par Dan Kavanagh*
R680. Les Sept Solitudes de Lorsa Lopez, *par Sony Labou Tansi*
R681. Le Bout du rouleau, *par Richard Ford*
R682. Hygiène de l'assassin, *par Amélie Nothomb*
R684. Les Adieux, *par Dan Franck*
R687. L'Homme de la passerelle, *par Isabelle Jarry*
R688. Bambini, *par Bertrand Visage*
R689. Nom de code : Siro, *par David Ignatius*
R690. Paradis, *par Philippe Sollers*
R693. Rituels, *par Cees Nooteboom*
R694. Félidés, *par Akif Pirinçci*
R695. Le Trouveur de feu, *par Henri Gougaud*
R696. Dumala, *par Eduard von Keyserling*
P1. Cent Ans de solitude, *par Gabriel García Márquez*
P2. Le Chevalier inexistant, *par Italo Calvino*
P3. L'Homme sans qualités, tome 1, *par Robert Musil*
P4. L'Homme sans qualités, tome 2, *par Robert Musil*
P5. Le Monde selon Garp, *par John Irving*
P6. Les Désarrois de l'élève Törless, *par Robert Musil*
P7. L'Enfant de sable, *par Tahar Ben Jelloun*
P8. La Marche de Radetzky, *par Joseph Roth*
P9. Trois Femmes *suivi de* Noces, *par Robert Musil*
P10. Un Anglais sous les tropiques, *par William Boyd*
P11. Grand Amour, *par Erik Orsenna*
P12. L'Invention du monde, *par Olivier Rolin*
P13. Rastelli raconte…, *par Walter Benjamin*

P14. Ce qu'a vu le vent d'ouest, *par Fruttero & Lucentini*
P15. L'Appel du crapaud, *par Günter Grass*
P16. L'Appât, *par Morgan Sportès*
P17. L'Honneur de Saint-Arnaud, *par François Maspero*
P18. L'Héritage empoisonné, *par Paul Levine*
P19. Les Égouts de Los Angeles, *par Michael Connelly*
P20. L'Anglais saugrenu, *par Jean-Loup Chiflet*
P21. Jacques Chirac, *par Franz-Olivier Giesbert*
P22. Questions d'adolescents, *par Christian Spitz*
P23. Les Progrès du progrès, *par Philippe Meyer*
P24. Le Paradis des orages, *par Patrick Grainville*
P25. La Rage au cœur, *par Gérard Guégan*
P26. L'Homme flambé, *par Michael Ondaatje*
P27. Ça n'est pas pour me vanter, *par Philippe Meyer*
P28. Notre homme, *par Louis Gardel*
P29. Mort en hiver, *par L.R.Wright*
P30. L'Exposition coloniale, *par Erik Orsenna*
P31. La Dame du soir, *par Dan Franck*
P32. Le Monde du bout du monde, *par Luis Sepúlveda*
P33. Brazzaville Plage, *par William Boyd*
P34. Les Nouvelles Confessions, *par William Boyd*
P35. Comme neige au soleil, *par William Boyd*
P36. Hautes Trahisons, *par Félix de Azúa*
P37. Dans la cage, *par Henry James*
P38. L'Année du déluge, *par Eduardo Mendoza*
P39. Pluie et Vent sur Télumée Miracle
par Simone Schwarz-Bart
P40. Paroles malvenues, *par Paul Bowles*
P41. Le Grand Cahier, *par Agota Kristof*
P42. La Preuve, *par Agota Kristof*
P43. La Petite Ville où le temps s'arrêta, *par Bohumil Hrabal*
P44. Le Tunnel, *par Ernesto Sabato*
P45. La Galère : jeunes en survie, *par François Dubet*
P46. La Ville des prodiges, *par Eduardo Mendoza*
P47. Le Principe d'incertitude, *par Michel Rio*
P48. Tapie, l'homme d'affaires, *par Christophe Bouchet*
P49. L'Homme Freud, *par Lydia Flem*
P50. La Décennie Mitterrand
1. Les ruptures
par Pierre Favier et Michel Martin-Roland

P51. La Décennie Mitterrand
2. Les épreuves
par Pierre Favier et Michel Martin-Roland
P52. Dar Baroud, *par Louis Gardel*
P53. Vu de l'extérieur, *par Katherine Pancol*
P54. Les Rêves des autres, *par John Irving*
P55. Les Habits neufs de Margaret, *par Alice Thomas Ellis*
P56. Les Confessions de Victoria Plum, *par Anne Fine*
P57. Histoires de faire de beaux rêves, *par Kaye Gibbons*
P58. C'est la curiosité qui tue les chats, *par Lesley Glaister*
P59. Une vie bouleversée, *par Etty Hillesum*
P60. L'Air de la guerre, *par Jean Hatzfeld*
P61. Piaf, *par Pierre Duclos et Georges Martin*
P62. Lettres ouvertes, *par Jean Guitton*
P63. Trois Kilos de café, *par Manu Dibango*
en collaboration avec Danielle Rouard
P64. L'Ange aveugle, *par Tahar Ben Jelloun*
P65. La Lézarde, *par Édouard Glissant*
P66. L'Inquisiteur, *par Henri Gougaud*
P67. L'Étrusque, *par Mika Waltari*
P68. Leurs mains sont bleues, *par Paul Bowles*
P69. Contes d'amour, de folie et de mort, *par Horacio Quiroga*
P70. Le vieux qui lisait des romans d'amour, *par Luis Sepúlveda*
P71. Rumeurs, *par Jean-Noël Kapferer*
P72. Julia et Moi, *par Anita Brookner*
P73. Déportée à Ravensbruck, *par Margaret Buber-Neumann*
P74. Meurtre dans la cathédrale, *par T.S.Eliot*
P75. Chien de printemps, *par Patrick Modiano*
P76. Pour la plus grande gloire de Dieu, *par Morgan Sportès*
P77. La Dogaresse, *par Henri Sacchi*
P78. La Bible du hibou, *par Henri Gougaud*
P79. Les Ivresses de Madame Monro, *par Alice Thomas Ellis*
P80. Hello, Plum !, *par Pelham Grenville Wodehouse*
P81. Le Maître de Frazé, *par Herbert Lieberman*
P82. Dans la peau d'un intouchable, *par Marc Boulet*
P83. Entre le ciel et la terre, *par Le Ly Hayslip*
(avec la collaboration de Charles Jay Wurts)
P84. Sur la route des croisades, *par Jean-Claude Guillebaud*
P85. L'Homme sans postérité, *par Adalbert Stifter*
P86. Le Nez de Mazarin, *par Anny Duperey*

P87. L'Alliance, tome 1, *par James A.Michener*
P88. L'Alliance, tome 2, *par James A.Michener*
P89. Regardez-moi, *par Anita Brookner*
P90. Si par une nuit d'hiver un voyageur, *par Italo Calvino*
P91. Les Grands Cimetières sous la lune, *par Georges Bernanos*
P92. Salut Galarneau !, *par Jacques Godbout*
P93. La Barbare, *par Katherine Pancol*
P94. American Psycho, *par Bret Easton Ellis*
P95. Vingt Ans et des poussières, *par Didier van Cauwelaert*
P96. Un week-end dans le Michigan, *par Richard Ford*
P97. Jules et Jim, *par François Truffaut*
P98. L'Hôtel New Hampshire, *par John Irving*
P99. Liberté pour les ours !, *par John Irving*
P100. Heureux Habitants de l'Aveyron et des autres départements français, *par Philippe Meyer*
P101. Les Égarements de Lili, *par Alice Thomas Ellis*
P102. Esquives, *par Anita Brookner*
P103. Cadavres incompatibles, *par Paul Levine*
P104. La Rose de fer, *par Brigitte Aubert*
P105. La Balade entre les tombes, *par Lawrence Block*
P106. La Villa des ombres, *par David Laing Dawson*
P107. La Traque, *par Herbert Lieberman*
P108. Meurtres à cinq mains, *par Jack Hitt avec Lawrence Block, Sarah Caudwell, Tony Hillerman, Peter Lovesey, Donald E. Westlake*
P109. Hygiène de l'assassin, *par Amélie Nothomb*
P110. L'Amant sans domicile fixe *par Carlo Fruttero et Franco Lucentini*
P111. La Femme du dimanche *par Carlo Fruttero et Franco Lucentini*
P112. L'Affaire D., *par Charles Dickens, Carlo Fruttero et Franco Lucentini*
P113. La Nuit sacrée, *par Tahar Ben Jelloun*
P114. Sky my wife ! Ciel ma femme !, *par Jean-Loup Chiflet*
P115. Liaisons étrangères, *par Alison Lurie*
P116. L'Homme rompu, *par Tahar Ben Jelloun*
P117. Le Tarbouche, *par Robert Solé*
P118. Tous les matins je me lève, *par Jean-Paul Dubois*
P119. La Côte sauvage, *par Jean-René Huguenin*
P120. Dans le huis clos des salles de bains, *par Philippe Meyer*

P121. Un mariage poids moyen, *par John Irving*
P122. L'Épopée du buveur d'eau, *par John Irving*
P123. L'Œuvre de Dieu, la Part du Diable, *par John Irving*
P124. Une prière pour Owen, *par John Irving*
P125. Un homme regarde une femme, *par Paul Fournel*
P126. Le Troisième Mensonge, *par Agota Kristof*
P127. Absinthe, *par Christophe Bataille*
P128. Le Quinconce, vol.1, *par Charles Palliser*
P129. Le Quinconce, vol.2, *par Charles Palliser*
P130. Comme ton père, *par Guillaume Le Touze*
P131. Naissance d'une passion, *par Michel Braudeau*
P132. Mon ami Pierrot, *par Michel Braudeau*
P133. La Rivière du sixième jour (Et au milieu coule une rivière) *par Norman Maclean*
P134. Mémoires de Melle, *par Michel Chaillou*
P135. Le Testament d'un poète juif assassiné, *par Elie Wiesel*
P136. Jésuites, 1. Les conquérants *par Jean Lacouture*
P137. Jésuites, 2. Les revenants *par Jean Lacouture*
P138. Soufrières, *par Daniel Maximin*
P139. Les Vacances du fantôme, *par Didier van Cauwelaert*
P140. Absolu, *par l'abbé Pierre et Albert Jacquard*
P141. En attendant la guerre, *par Claude Delarue*
P142. Trésors sanglants, *par Paul Levine*
P143. Le Livre, *par Les Nuls*
P144. Malicorne, *par Hubert Reeves*
P145. Le Boucher, *par Alina Reyes*
P146. Le Voile noir, *par Anny Duperey*
P147. Je vous écris, *par Anny Duperey*
P148. Tierra del fuego, *par Francisco Coloane*
P149. Trente Ans et des poussières, *par Jay McInerney*
P150. Jernigan, *par David Gates*
P151. Lust, *par Elfriede Jelinek*
P152. Voir ci-dessous : Amour, *par David Grossman*
P153. L'Anniversaire, *par Juan José Saer*
P154. Le Maître d'escrime, *par Arturo Pérez-Reverte*
P155. Pas de sang dans la clairière, *par L.R. Wright*
P156. Une si belle image, *par Katherine Pancol*
P157. L'Affaire Ben Barka, *par Bernard Violet*

P158. L'Orange amère, *par Didier Van Cauwelaert*
P159. Une histoire américaine, *par Jacques Godbout*
P160. Jour de silence à Tanger, *par Tahar Ben Jelloun*
P161. La Réclusion solitaire, *par Tahar Ben Jelloun*
P162. Fleurs de ruine, *par Patrick Modiano*
P163. La Mère du printemps (L'Oum-er-Bia), *par Driss Chraïbi*
P164. Portrait de groupe avec dame, *par Heinrich Böll*
P165. Nécropolis, *par Herbert Lieberman*
P166. Les Soleils des indépendances, *par Ahmadou Kourouma*
P167. La Bête dans la jungle, *par Henry James*
P168. Journal d'une parisienne, *par Françoise Giroud*
P169. Ils partiront dans l'ivresse, *par Lucie Aubrac*
P170. Le Divin Enfant, *par Pascal Bruckner*
P171. Les Vigiles, *par Tahar Djaout*
P172. Philippe et les Autres, *par Cees Nooteboom*
P173. Far Tortuga, *par Peter Matthiessen*
P174. Le Dieu manchot, *par José Saramago*
P175. Molière ou la Vie de Jean-Baptiste Poquelin
par Alfred Simon
P176. Saison violente, *par Emmanuel Roblès*
P177. Lunes de fiel, *par Pascal Bruckner*
P178. Le Voyage à Paimpol, *par Dorothée Letessier*
P179. L'Aube, *par Elie Wiesel*
P180. Le Fils du pauvre, *par Mouloud Feraoun*
P181. Red Fox, *par Anthony Hyde*
P182. Enquête sous la neige, *par Michael Malone*
P183. Cœur de lièvre, *par John Updike*
P184. La Joyeuse Bande d'Atzavara
par Manuel Vázquez Montalbán
P185. Le Petit Monde de Don Camillo, *par Giovanni Guareschi*
P186. Le Temps des Italiens, *par François Maspero*
P187. Petite, *par Geneviève Brisac*
P188. La vie me fait peur, *par Jean-Paul Dubois*
P189. Quelques Minutes de bonheur absolu, *par Agnès Desarthe*
P190. La Lyre d'Orphée, *par Robertson Davies*
P191. Pourquoi lire les classiques, *par Italo Calvino*
P192. Franz Kafka ou le Cauchemar de la raison, *par Ernst Pawel*
P193. Nos médecins, *par Hervé Hamon*
P194. La Déroute des sexes, *par Denise Bombardier*
P195. Les Flamboyants, *par Patrick Grainville*

P196. La Crypte des capucins, *par Joseph Roth*
P197. Je vivrai l'amour des autres, *par Jean Cayrol*
P198. Le Crime des pères, *par Michel del Castillo*
P199. Les Cahiers de Malte Laurids Brigge, *par Rainer Maria Rilke*
P200. Port-Soudan, *par Olivier Rolin*
P201. Portrait de l'artiste en jeune chien, *par Dylan Thomas*
P202. La Belle Hortense, *par Jacques Roubaud*
P203. Les Anges et les Faucons, *par Patrick Grainville*
P204. Autobiographie de Federico Sánchez, *par Jorge Semprún*
P205. Le Monarque égaré, *par Anne-Marie Garat*
P206. La Guérilla du Che, *par Régis Debray*
P207. Terre-Patrie, *par Edgar Morin et Anne-Brigitte Kern*
P208. L'Occupation américaine, *par Pascal Quignard*
P209. La Comédie de Terracina, *par Frédéric Vitoux*
P210. Une jeune fille, *par Dan Franck*
P211. Nativités, *par Michèle Gazier*
P212. L'Enlèvement d'Hortense, *par Jacques Roubaud*
P213. Les Secrets de Jeffrey Aspern, *par Henry James*
P214. Annam, *par Christophe Bataille*
P215. Jimi Hendrix. Vie et légende, *par Charles Shaar Murray*
P216. Docile, *par Didier Decoin*
P217. Le Dernier des Justes, *par André Schwarz-Bart*
P218. Aden Arabie, *par Paul Nizan*
P219. Dialogues des Carmélites, *par Georges Bernanos*
P220. Gaston Gallimard, *par Pierre Assouline*
P221. John l'Enfer, *par Didier Decoin*
P222. Trente Mille Jours, *par Maurice Genevoix*
P224. L'Exil d'Hortense, *par Jacques Roubaud*
P225. La Grande Maison, *par Mohammed Dib*
P226. Une mort en rouge, *par Walter Mosley*
P227. N'en faites pas une histoire, *par Raymond Carver*
P228. Les Quatre Faces d'une histoire, *par John Updike*
P229. Moustiques, *par William Faulkner*
P230. Mortelle, *par Christopher Frank*
P231. Ceux de 14, *par Maurice Genevoix*
P232. Le Baron perché, *par Italo Calvino*
P233. Le Tueur et son ombre, *par Herbert Lieberman*
P234. La Nuit du solstice, *par Herbert Lieberman*
P235. L'Après-midi bleu, *par William Boyd*
P236. Le Sémaphore d'Alexandrie, *par Robert Solé*